Conan de Ba
Derde De

Erika Sanders

Serie
Conan de Barbaar deel 9 tot 12

Omslagafbeelding: @katalinks, 2023

Eerste editie: 2023

Korte inhoud

Ontmoet de vrouwen in Conan's leven zoals je nog nooit eerder is verteld...

Na nieuwe avonturen en nieuwe triomfen keren Conan en zijn groep terug naar de stad waar nu hun thuis is, Tarantia.

Zal de terugkeer ervoor zorgen dat je de avonturen mist? Of zal het beter zijn dan verwacht?

Deze publicatie bevat delen 9 tot en met 12:
9 - Astrid
10 - Xaltana
11 - Yasimina
12 - Cassandra
Nieuwe serie gebaseerd op het werk van Robert E. Howard.

(Alle personages zijn 18 jaar of ouder)

Opmerking over de auteur:

Erika Sanders is een bekende internationale schrijfster, vertaald in meer dan twintig talen, die haar meest erotische geschriften, ver van haar gebruikelijke proza, ondertekent met haar meisjesnaam.

Inhoudsopgave:

CONAN DE BARBAAR
DERDE DEEL
ERIKA SANDERS

HOOFDSTUK IX
ASTRID

'Het spijt me,' zei Astrid, 'maar het enige wat hier voor je is, zijn de plannen waar je groep om heeft gevraagd. Adriana is er niet; ik ben bang dat ze je heeft laten geloven dat ze...' Ze bloosde lichtjes. naar de grond kijkend: "... hier voor een ander doel. Dat is niet het geval."

Conan was natuurlijk verrast toen hij de deur van Adriana's huis opende en daar de dwergvrouw ontdekte, in plaats van de koopman.

Alleen al haar aanwezigheid maakte het onwaarschijnlijk dat er iets interessants zou gebeuren, en nu had hij bevestigd dat Adriana er helemaal niet was en dat hij haar niet verwachtte.

"Dus wat gebeurde er?" vroeg hij, nog steeds onzeker over hoe de gebeurtenissen zich ontwikkelden.

'Je zou binnen moeten komen,' zei ze in plaats van te antwoorden, terwijl ze nog steeds moeite had om naar zijn gezicht te kijken.

Dit was duidelijk iets waar ze zich niet prettig bij voelde om over te praten, maar ze leek in ieder geval eerder beschaamd dan bedrieglijk.

"De plannen waar ze om vroegen zijn hier", voegde hij eraan toe.

Snagg zou geven . Heeft je familie daar niet op aangedrongen?'

Ze knikte, haar schouders hangend, maar zei niets meer totdat ze de hoofdkamer van het huis bereikten.

Het was een grote open ruimte, met een balkon erboven, met een bank en talloze kussens en tafels.

Astrid liep naar een ladekast aan de ene kant, waar een uit hout gesneden kist stond.

Ze pakte de doos voorzichtig op en hield hem dicht tegen haar borst.

'Je moet het ze niet vertellen,' zei ze, terwijl ze hem nu met smekende ogen aankeek, 'ik heb ze beloofd dat ik dit alleen aan Snagg zou geven . Het is dwergenkennis, hoewel hij het je wel kan vertellen. Van wat je hebt gezegd hoop ik dat Dat zal hij wel doen, maar het moet zijn: 'Jouw beslissing, niet de mijne. Het heeft een ingenieus ontworpen slot... Adriana zou weten hoe ze het moet openen, aangezien ze ervaring heeft met dwergenvakmanschap, maar ik hoop dat jij dat niet doet.'

Conan dacht dat het heel goed mogelijk was dat Zula een manier kon vinden om het slot te openen, maar hij zei er niets over.

Het was immers onwaarschijnlijk dat dit nodig zou zijn.

"Maar toch moet ik je vragen het niet te proberen. Je moet dit morgenochtend rechtstreeks aan Snagg geven. Ik breek mijn belofte al door het aan jou te geven... als het bekend wordt, weet ik niet wat zou gebeuren."

Ze leek erg bezorgd, dus knikte de krijger met zijn hoofd.

'Natuurlijk, dat beloof ik, ik zal niet eens proberen het open te maken. Maar je hebt me niet uitgelegd wat er aan de hand is. Waarom geef je dit niet rechtstreeks aan Snagg ? Waarom ben je hier ?'

Snagg beter leren kennen . In...privé. Toen We hadden: "Ze moest een manier vinden om de doos bij een van jullie te krijgen, en ze dacht dat je... dat je misschien overgehaald zou worden om hierheen te komen, waar ze hem aan je kon geven."

Het concept was zo vreemd dat het Conan een tijdje kostte om het te verwerken.

Als Adriana echt intiem wilde zijn met Snagg , kon ze inzien dat het hoogst onwaarschijnlijk was dat haar dat zou lukken.

Misschien was er meer, maar het ondervragen van de arme dwerg zou waarschijnlijk niet erg productief zijn, en hoe dan ook moest ze zich neerleggen bij een rustige nacht.

"Ik begrijp het... nou, ik zal je niet meer vragen. Het zijn mijn zaken niet"

En het was duidelijk dat zij niet over zulke dingen wilde praten, als ze er veel van wist.

"Wat ga je nu doen?"

'Ik wacht hier alleen... tot de ochtend, denk ik.'

Ze zuchtte plotseling, een wanhopig geluid.

"Ik had dit niet moeten doen!"

Ze schudde haar hoofd en bedekte haar gezicht met één hand, terwijl ze met de andere de doos vasthield.

'Ik had me niet door haar moeten laten misleiden! Wat heb ik gedaan?'

Conan wist niet goed wat hij moest doen.

Als ze een menselijke vrouw was geweest, zou hij haar hebben getroost, haar een schouderklopje gegeven of haar een knuffel gegeven.

Maar dat zou nooit genoeg zijn voor een dwerg, zo beroofd van haar gevoelens als zij.

Maar toch had de natuurlijke neiging tot zwijgzaamheid van haar ras haar tijdelijk in de steek gelaten, en ze had het gevoel dat ze iets moest zeggen of doen.

Hij begrijpt misschien niet echt de bron van zijn wanhoop, maar hij zou op zijn minst kunnen proberen ermee te helpen.

De vrouw verdiende het niet om hiervoor te lijden.

'Ik kan je even gezelschap houden,' zei hij, 'gewoon om te praten, als je dat wilt.'

'Dat zou heel aardig zijn,' zei hij, terwijl hij een spoor van tranen uit één oog veegde. 'Volgens mij zit daar ergens wijn.'

Hij vond de fles en een bril, blijkbaar van dwergenfabricaat, en plaatste ze op een van de lage tafels.

Astrid nam de bank, terwijl hij voor haar op een paar verspreide kussens zat.

Dat bracht hun ooghoogtes dichter bij elkaar.

In eerste instantie zat de dwergvrouw daar alleen maar, haar handen in haar schoot, niet wetend wat ze moest doen.

Conan schonk hen beiden een drankje in en nam een slokje.

'Bedankt,' zei ze eenvoudig, terwijl ze haar eigen glas pakte.

Ze slikte het snel door, duidelijk nog steeds enigszins ongemakkelijk.

Hij moest haar afleiden van haar zorgen, en hij nam zijn toevlucht tot een gespreksonderwerp waarvan hij hoopte dat het haar zou afleiden van Adriana's zogenaamde capriolen.

'Heeft uw familie hier veel tijd doorgebracht?' vroeg hij, 'Clan Bardalf, toch? Ik moet bekennen dat ik niet echt veel weet over dwergenclans en -families.'

Eindelijk glimlachte Astrid en er verscheen een blik van opluchting op haar gelaatstrekken.

Ze was bijna mooi toen ze dat deed, bedacht hij, of in ieder geval zo mooi als een dwerg maar kon zijn.

'Clans zijn uitgebreide families', zei hij, 'grote groepen verenigd door een gemeenschappelijke voorouder. We hebben rituelen die ons tot een soortgelijke eenheid binden, hoewel ik daar niet veel over kan zeggen.'

Hij knikte bemoedigend en zij vervolgde:

'De Bardalfs zijn een stadsclan; we komen al generaties lang in Tarantia. Onze voorouders kwamen hier uit de bergen, en steenhouwerij is altijd een van onze vaardigheden geweest. Maar natuurlijk omvat elke clan verschillende beroepen,' nam hij nog een slokje. van de wijn, "dus mijn eigen familie is nog steeds metselaars, en dat is een teken van status. Ik ben erg trots op de vaardigheid van mijn vader."

'Dus jij wilt metselaar worden?'

Ze glimlachte daar zelfs kort bij en liet een flits van witte tanden zien.

'Dat is mannenwerk! Net als mijnbouw of smeden. Het is waar dat vrouwen zulke dingen soms doen, maar nee, ik geef de voorkeur aan sieraden. Ik denk dat ik zilversmid zou worden als ik de kans zou krijgen.'

Voordat hij haar er meer over kon vragen, veranderde ze van onderwerp.

"En jij?"

'Ach,' zei hij, achterover leunend, 'ik weet niet of er veel te vertellen valt. Ik ben van de tweede generatie; mijn vader was de krijgerskant van de familie.'

Krijgers konden natuurlijk met niet-krijgers trouwen, dus velen elders waren van de tweede generatie of ouder, maar om de een of andere reden waren ze niet talrijk in Tarantia.

In die tijd waren krijgers van de tweede generatie niet zo gebruikelijk, en ze hadden niet de bindende banden met raciale gemeenschappen die krijgers van volbloed hadden.

'Ik ben bang dat mijn vader mijn moeder heeft verlaten toen hij jong was. Sterker nog, hij verliet de stad, dus ik heb hem daarna nooit meer gezien.'

Hij voegde er niet aan toe dat zijn vader, op de typische manier van avonturiers, verliefd was geworden op iemand anders en bij die persoon was gaan wonen.

Het herinnerde hem aan zijn eigen reden om hier te zijn, en dat wilde hij niet.

Voor hem was het waarschijnlijk nog belangrijker om buiten beschouwing te laten dat zijn vader niet voor een andere vrouw, maar voor een man was vertrokken.

Ze bleven praten, kletsen over van alles en nog wat, en Conan vond een tweede fles wijn, terwijl hij mentaal opmerkte dat hij Adriana ervoor zou moeten betalen, hoewel zijn eigen gedrag onder de gegeven omstandigheden nauwelijks voorbeeldig was geweest.

Terwijl de warmte zich in zijn maag nestelde, merkte hij dat hij meer naar Astrid keek.

Zijn eerdere mening, zo besloot hij, was verkeerd; Haar gezicht was breed, net als dat van haar familieleden, maar ondanks dat was ze eigenlijk knap.

Ze had grote blauwe ogen en lang blond haar met een vleugje rood, dat in een lange, zorgvuldig geknoopte vlecht over haar rug viel.

Haar kleding was natuurlijk bescheiden: een vormeloze grijze jurk die tot aan haar enkels reikte, gesloten was tot aan de nek, en mouwen strak om haar polsen.

Zware leren laarzen met dikke zolen die onder de rok uitsteken en die bij een mens niet zouden passen.

De jurk verhulde haar figuur, wat ongetwijfeld haar bedoeling was, maar ze was duidelijk geen magere vrouw, hoewel welke dwerg dat ooit was?

Zijn schouders waren breed, bijna dwergachtig, waardoor hij een ietwat gedrongen vorm had.

Het resultaat was dat ze er misschien bijna mannelijk uitzag, maar daarvoor was haar gezicht te mooi, en haar borsten waren, voor zover hij onder de vormeloze kleding kon zien, verrassend groot.

Hij vroeg zich af of de wijn ook op haar zou inwerken.

Hij had al genoeg gedronken, hoewel dwergen een behoorlijke tolerantie voor alcohol hadden, dus het was misschien minder belangrijk dan het leek.

Ze leek zeker meer ontspannen, glimlachte vaker en was haar eerdere depressie en zorgen vergeten.

'Maar ik weet niet', zei hij op een gegeven moment, 'hoeveel kans ik zal hebben om zilversmeden te beoefenen. Als mijn vader een geschikte vrijer vindt, is er misschien geen tijd voor een goede carrière, tenzij ik mijn carrière al heb gevestigd. naam tegen die tijd."Ik zou in plaats daarvan een thuisblijfmoeder kunnen worden. Ik weet niet zeker hoe dat zou zijn."

Ze leek er een beetje somber over, en hij was bang dat de wijn haar misschien depressief zou maken.

"Vind je het erg?" ' zei hij, terwijl hij het initiatief nam en opstond uit de kussens om naast haar te gaan zitten.

Ze maakte geen terugtrekkende beweging, waardoor Conan zich wat meer aangemoedigd voelde.

'Je ziet er gespannen uit,' zei hij tegen haar, 'sta mij toe...'

Hij strekte zijn hand langzaam uit en legde een hand op Astrids schouders.

Ze kromp eerst ineen, maar sprong niet en zei zelfs niets, dus begon hij zachtjes de spieren van haar schouders en bovenrug te masseren.

In feite waren haar spieren strak en omvangrijker dan die van de meeste menselijke vrouwen.

Hij wist niet wat er door zijn hoofd ging, maar hij keerde terug naar de gedachten die hij eerder op de avond had gehad, toen hij nog op Adriana wachtte.

Maar hoe hij het onderwerp moest aansnijden, wist hij niet zeker.

Hij had tenslotte nog nooit een dwergvrouw gekust, en daar had hij zelfs niet aan gedacht.

En de kans was groot dat hij die gedachte weerzinwekkend vond.

'Ik hou van goudsmeden vanwege de details,' zei ze zakelijk. "Het heeft zoveel complexiteit en schoonheid. Je kunt uren besteden aan het bestuderen van hetzelfde stuk, totdat het precies goed is. Het vereist zo'n behendige, zachte aanraking. Mmm... en dat is goed," voegde ze eraan toe, terwijl ze onmerkbaar dichter naar hem toe kwam. . en tilde haar zware vlecht opzij, zodat hij gemakkelijker de basis van haar nek kon bereiken.

'Dus je neemt graag de tijd voor dingen?' vroeg hij, "langzaam, maar nauwkeurig... de juiste plek raken?"

‘Dwergmannen zijn niet altijd zo,’ zei Astrid, alsof ze de directe vraag wilde ontwijken, ‘ze raken hun gietstukken met alle hitte en kracht. Maar de kwaliteit is veel beter als alles goed wordt gedaan... de details in een Een fijn stukje zilveren filigraan kan bijna...sensueel zijn, vind je niet?"

Toen hij niet reageerde, draaide ze zich eerst half naar hem toe, met nieuwsgierige blauwe ogen.

Zijn lippen waren breed, bleek als zijn huid, en lichtjes uiteen.

Hij boog zich naar haar toe, terwijl ze haar nek omhoog strekte, en haar heel zachtjes kuste, haar nauwelijks aanrakend.

Ze bleef een ogenblik verstijfd staan en draaide zich toen om.

'Ik... ik weet niet wat ik aan het doen was,' zei hij, diep blozend, 'het spijt me... het was niet mijn bedoeling...' Hij stierf weg, niet in staat de woorden te vinden.

'Het was allemaal mijn schuld,' zei Conan verontschuldigend, terwijl hij er mentaal aan toevoegde dat de wijn uiteindelijk ook relevant had kunnen zijn. 'Het was niet mijn bedoeling je te beledigen.'

Hij haalde haar handen van zijn schouders zodat ze elkaar niet meer raakten.

"Als je het niet leuk vindt, kan ik..."

'Nee,' zei ze, hem onderbrekend, 'het was... het was leuk. Ik deed gewoon niet... ik bedoel, ik... we konden niet...'

Toen reikte hij naar haar toe, pakte met één hand zachtjes haar kin vast en draaide haar weer naar hem toe.

Haar blos vervaagde nu en haar ogen werden groter.

'Je hebt geen woorden nodig,' zei hij tegen haar, 'alleen dit...' en hij boog zich voorover om haar opnieuw te kussen, deze keer langer, terwijl hij haar zachte lippen tegen de zijne voelde.

Deze keer bewoog ze zich niet, en toen hij zijn arm om haar heen sloeg en de dikke wollen kleding tegen haar rug voelde, leek het alsof ze zich dichter tegen hem aan drukte.

Ze gingen uit elkaar en Astrid haalde diep adem om zichzelf te kalmeren.

Ze leek iets te willen zeggen, maar stopte voordat ze dat deed en wendde zich af in plaats van hem in de ogen te kijken.

'We hebben de hele nacht, zei je,' bracht hij haar in herinnering, 'en ik weet zeker dat dit huis een slaapkamer heeft?'

* * *

De slaapkamer was goed ingericht toen ze die vonden, met een groot bed met lakens die er zacht en knus uitzagen.

Conan trok zijn bovenkleed uit en plaatste het op een ladekast aan de zijkant, naast een decoratief dwergensnijwerk.

Hij keek om zich heen en zag Astrid haar laarzen uittrekken en dan stoppen, naar de grond kijkend.

Na een moment van stilte keek ze hem aan.

'Ik weet het niet,' zei hij, 'zouden we dit moeten doen?'

Hij ging naast haar zitten en greep opnieuw naar haar schouders:

'Het is aan jou,' zei hij terwijl hij haar zachtjes masseerde, 'hoewel ik niet ga doen alsof ik voorlopig helemaal niet teleurgesteld ben.'

Ze aarzelde, bracht een hand naar zijn kin en trok hem naar zich toe voor nog een kus.

Het was verrassend hoe zacht haar huid was, dacht hij, blij dat ze niet had besloten smid te worden.

En dat het gerucht over dwergvrouwen met baard volkomen ongegrond was.

Toen ze uit elkaar gingen, reikte ze naar zijn buik en raakte het katoen van zijn overhemd tussen haar duim en wijsvinger aan.

Hij deed niets, wilde dat ze de volgende stap zette, en dat deed ze, terwijl ze de moed verzamelde om zijn overhemd los te maken en het tot aan zijn borst te tillen, zodat hij het kon uittrekken en naast het bed kon leggen.

Haar vingers gleden langs zijn borst, van zijn buik naar zijn tepels, en namen langzaam het gevoel van zijn lichaam in zich op.

Haar aanraking was licht maar stimulerend, haar handen streelden hem alsof ze een albasten beeld zouden aanraken.

Ze leunde naar voren en liet haar voorhoofd op zijn borst rusten.

Hij voelde haar warme adem op zijn huid, terwijl ze hem in stilte bleef strelen.

Met één hand om haar schouder bewoog hij de andere naar haar been, tilde de lage zoom van haar rok op en reikte naar binnen.

Zijn kuiten waren stevig en rond, maar er leek nauwelijks een spoor van vet op zijn lichaam te zitten.

Langzaam schoof hij zijn hand hoger en vond een dik wollen kledingstuk dat tot net boven zijn knie reikte.

Zijn dijen leken, zelfs door de wol heen, breed en krachtig.

Toen hij haar dij streelde, onderbrak ze haar eigen handelingen en begon, nog steeds tegen hem aan leunend, voorzichtig de banden om haar dijen los te maken.

Hij leunde achterover, weg van haar, waardoor ze meer ruimte kreeg.

Ze wachtte even, voordat ze langzaam zijn kleren weer uittrok.

Hij was nu alleen gekleed in zijn witte katoenen boxershort, die duidelijk de groeiende erectie eronder bedekte.

Astrid keek hem sprakeloos aan, streek met een hand over zijn dij en kietelde door zijn haar.

Zijn erectie klopte van verlangen, waarbij een klein druppeltje voorvocht de stof aan de punt donkerder maakte.

Toen leunde ze achterover, trok aan haar jurk en tilde hem over haar hoofd.

Ze schudde haar haar uit voordat ze het op de zijkant van het bed liet vallen en keek hem vragend aan, met zware ademhaling en een rood gezicht.

Onder de jurk droeg ze merkwaardig ondergoed, gemaakt van een strakke wollen stof.

Zoals hij al had ontdekt, had het onderste deel van haar lichaam ondergoed dat bijna tot aan haar knieën reikte, maar ze droeg ook een bovenkledingstuk, heel anders dan de combinatie die mensenvrouwen en elfenvrouwen gewoonlijk droegen.

Het was een soort vest, vermoedde hij, met korte mouwen die tot net onder zijn ellebogen reikten en stevig om zijn lichaam zaten.

Het zat in de band van zijn ondergoed gestopt en liet niet meer vlees zien dan zijn armen en kuiten.

Ze veronderstelde dat als daar iets voor te zeggen was, het was dat de strakheid van het kledingstuk haar grote borsten omhoog bracht, waardoor hun rondingen werden geaccentueerd.

Hij reikte naar voren, hield één schouder vast en glimlachte geruststellend.

Ze leek nog steeds nerveus.

Vervolgens liet hij zijn hand langs de korte lengte van haar arm glijden.

Ze had daar licht haar, steil en zacht, de blonde kleur bijna onzichtbaar tegen haar huid.

Ze kusten elkaar opnieuw, kort, terwijl ze een hand langs zijn zij streek.

Terwijl ze dat deed, bewoog hij zijn eigen handen naar haar toe, verlangend om te zien wat er onder haar verborgen ondergoed zat.

Hij haalde het vest uit de band van zijn ondergoed en tilde het met beide handen op om zijn buik bloot te leggen.

Ze was natuurlijk niet mager, zoals de dwergen niet waren, en haar buik was breed en kort.

Ze was echter ook slank, net zo vetvrij als de rest van haar lichaam.

Ze huiverde een beetje toen hij met zijn hand over haar gladde huid streek en met zijn vinger over haar navel.

Langzaam gingen haar handen lager, totdat ze de kant van zijn overgebleven ondergoed bereikten, centimeters van de uitstulping van zijn kruis.

Astrid haalde diep adem en trok ze naar beneden, kijkend naar zijn blootliggende erectie.

Ze hapte naar adem terwijl ze even naar hem keek, voordat ze met haar vingers door zijn schaamhaar streek.

Zachtjes streek ze met de top van een vinger langs zijn ballen en vervolgens langs zijn schacht, totdat ze uiteindelijk op de punt rustte.

Conan sloot zijn ogen, genoot van het gevoel en liet het de tijd nemen.

Ze nam zijn ballen in de palm van haar hand, liet hem over zijn pik glijden en kneep er lichtjes in toen ze de punt bereikte.

Hij wilde haar zo graag, maar hij wist dat hij zich nog even moest inhouden.

Ze wilde dit in haar eigen, rustige tempo doen, en hij zou haar dat toestaan.

Hij opende zijn ogen weer en zag haar naar hem kijken, haar borsten gingen op en neer onder de wol die ze bedekte, blauwe ogen groot van verwachting en misschien een beetje geschokt.

Hij reikte weer naar zijn zij en haakte zijn duimen in de onderkant van zijn vest.

Ze voelde zijn behoefte en hief haar armen zodat hij hem kon optillen en uittrekken.

Ze schudde haar hoofd en haar zware vlecht viel over één schouder.

En nu naast haar, met de zilveren broche van filigrane bovenkant tegen de blote huid van haar schouder.

Hij moest toegeven dat ze nu nog beter was dan hij eerder had gedacht.

Als alle dwergvrouwen zo waren, had ik een aantal geweldige kansen gemist.

Haar borsten waren groot en rond, maar helemaal niet hangend, en even verontrustend en verleidelijk als die van een veel jongere menselijke vrouw.

Haar tepels hadden misschien wel de grootste tepelhoven die hij ooit had gezien, lichtbruin tegen het bijna witte van haar borsten.

Hij realiseerde zich dat hij stil had gestaan, alleen maar naar haar had gekeken, het uitzicht in zich op had genomen, en dat ze een beetje rood begon te worden.

Hij glimlachte naar haar en strekte zijn hand uit om haar borsten te strelen.

De schil was glad en het vlees bijna verrassend stevig.

Hij nam ze tot een kom, voelde hun gewicht in zijn handen en liet zijn vingers naar haar tepels glijden.

Astrid hapte naar adem toen hij ze aanraakte en genoot van de brandende hardheid tussen zijn vinger en duim.

Ze slaakte een zachte kreun terwijl hij met zijn vinger over een groot tepelhof streek en lichtjes kronkelde onder zijn aanraking.

Hij realiseerde zich dat haar tepels buitengewoon gevoelig moesten zijn, en hij concentreerde zich er wat meer op, waardoor ze schreeuwde van genot terwijl hij er zachtjes één bewoog.

Toen drukte ze zich tegen hem aan, kuste hem hartstochtelijk en duwde hem weer op bed.

Haar borsten rustten tegen zijn borst, haar vlecht tegen zijn arm.

Zijn pik gleed tegen de zachte wol die zijn dij bedekte, een heerlijke sensatie die hem naar adem deed happen van genot.

Hij bewoog zijn handen over haar rug, terwijl zijn eigen handen haar naakte lichaam verkenden.

Vervolgens liet hij er een langs de achterkant van zijn broek glijden, waardoor zijn strakke billen werden gevormd en geknepen.

Toen trok ze zich van hem los, hijgend, haar gezicht rood en een beetje bezweet.

Ze keken elkaar allebei aan terwijl ze ademhaalden.

Hij zag het vocht dat nu zichtbaar was in de wol onder haar benen.

Toen draaide ze zich om, terwijl ze hem opnieuw een prachtig zicht op haar borsten gaf.

'Ik denk dat je bovenaan moet zitten,' zei ze tegen hem, terwijl ze zijn bedoeling aanvoelde, terwijl een hand naar de zoom van zijn ondergoed bewoog, 'vanwege het hoogteverschil, anders zou het ongemakkelijk zijn.'

Maar plotseling vroeg hij zich af of hij het juiste had gezegd, terwijl ze haar andere hand naar haar mond bracht, letterlijk hijgend alsof ze in shock was.

Zijn slipje precies in het midden van één heup.

"Het spijt me..." zei hij verward, "heb ik iets verkeerd gezegd?"

Was er een vreemd dwergengebruik waarvan ik me niet bewust was?

Dat ze zelfs gewoonten voor zulke dingen hadden, leek verrassend.

'Nee,' slaagde hij er na een tijdje in om zijn kalmte te herwinnen, 'het is gewoon dat... ik kan me niet voorstellen dat een dwergmens zoiets zou toestaan. Het is... jij...' leek hij te zeggen. moeite om te zeggen wat ik op dat moment dacht.

'Het is mijn wildste fantasie,' slaagde hij er uiteindelijk in.

Conan dacht dat als zijn wildste seksuele fantasie in feite simpelweg bovenaan stond, dat veel zei over de seksuele onderdrukking van dwergen.

Maar hij hield zijn gedachten voor zich.

'Dan is dat een bijzonder goede reden, vind je niet?' zei hij in plaats daarvan.

Ze knikte verdwaasd en rolde op haar zij, weer met haar gezicht naar hem toe.

Hij liet zijn hand langzaam langs haar blote zij glijden, genietend van het gevoel van haar lichaam en over haar blootliggende heup, terwijl hij lichtjes aan de stof trok.

Vervolgens hielp ze hem door zich naar beneden te trekken en vrij te bewegen, voordat ze haar op de grond gooide.

Zijn heupen waren breed, zoals ik al had gezien, en zijn blonde kruis was dik en merkbaar behaard.

Ze kusten elkaar opnieuw, terwijl ze allebei hun handen over hun buik lieten gaan.

Haar hand rustte even op zijn schaamhaar, voordat ze weer langs de lengte van zijn pik gleed, op en neer langs zijn schacht.

Conans hand zakte in haar dikke bos, voelde de binnenkant van haar stevige dijen en duwde er vervolgens tussen.

Astrid's kutje was nat, de natte haren plakten lichtjes aan haar vingers terwijl ze ze over haar lippen streek.

Toen hij een vinger in haar plaagde, slaakte ze een huilende kreet, en haar hand greep krampachtig zijn pik vast, kneep en liet hem grommen.

Zijn vinger gleed naar buiten, gesmeerd door haar sappen, en voelde het contrast tussen haar ruwe haren en het aangename vocht van haar kutje.

Astrid's hand pompte langzaam en gestaag door zijn pik, terwijl ze zichzelf tegen de zijkant van zijn lichaam drukte, haar neus in zijn schouder begroef en haar prachtige borsten tegen hem aandrukte.

"Ik hou van je," zei ze plotseling, terwijl ze op één elleboog ging staan en zijn pik losliet.

Hij knikte zonder iets te zeggen dat haar bevestigde, omdat hij wilde weten hoe ze zich werkelijk voelde.

Toen ze zich echter begon te bewegen, strekte hij even een vasthoudende hand uit en trok haar naar zich toe.

Hij kuste haar schouder en de achterkant van haar nek, terwijl haar lichaam nu bijna recht op het zijne lag.

Toen ging hij lager staan, tilde haar iets op zodat zijn tong over de zachte uitgestrektheid van haar borst kon glijden en een van haar enorme tepels kon kussen.

Ze schreeuwde het uit terwijl zijn lippen langs haar tepelhof gingen, en hij zoog op de lange tepel en rolde hem onder zijn tong.

Haar heupen drukten instinctief tegen hem aan, haar billen drukten tegen zijn buik en lieten een natte plek achter.

Hij liet haar los en ze deinsde achteruit, leunend tussen zijn knieën, haar borst op en neer en haar speeksel glinsterde nog steeds langs haar zijde.

Ze wreef opnieuw over zijn pik, drukte hem tegen zijn harige kruis en wreef kort tegen de binnenkant van zijn dij.

Astrid ging toen op haar knieën zitten, met haar gezicht naar hem toe, terwijl ze zijn pik stevig vasthield net onder haar natte, wachtende kutje.

Langzaam, centimeter voor centimeter, liet ze zich op hem zakken, terwijl ze een lange zucht van plezier slaakte.

Haar kutje was strak, maar niet ongewoon strak.

Zijn pik leek perfect te passen, en hij dacht dat dwergmannen in dat opzicht niet zoveel van mensen konden verschillen.

Astrid ging schrijlings op hem zitten, haar borst deinend en haar ogen gesloten, haar mond open en haar hoofd iets naar achteren gekanteld.

Het ging erom of hij van het moment genoot voor alles wat het waard was, en er nog meer uit haalde.

Toen begon ze weer te bewegen, op en neer glijdend over zijn erectie, eerst hijgend en zuchtend, beet toen op haar lip en slaakte een zacht gekreun van puur genot.

Hij kon het haar niet kwalijk nemen, want als ze de helft van de sensaties voelde die hij voelde, had ze alle recht om te kreunen.

Haar bewegingen waren langzaam en nauwkeurig, maar ze stimuleerden hem, en hij was zelden eerder zo gestimuleerd.

Hij staarde naar haar lichaam en bewonderde haar verschillende rondingen, de manier waarop haar borsten lichtjes op en neer bewogen, de vlecht die nu gleed van het zweet op haar zij.

Hij vergezelde haar en voelde haar heupen terwijl ze tegen hem aan drukten en de ontvankelijke stoten van zijn eigen lichaam ontmoetten.

Met zijn linkerhand pakte hij haar vlecht vast en bewoog die, terwijl ze enigszins verbijsterd toekeek.

Vervolgens streek hij met het borstelige haar over zijn dichtstbijzijnde tepel en wreef het tegen haar aan.

Ze schreeuwde luid en drukte haar heupen hard op zijn pik.

Ik wist dat haar tepels bijzonder gevoelig waren, en dit bewees dat punt alleen maar.

Ze bleef tegen hem aan bewegen, haar bewegingen waren nu iets sneller en haar benen dringender.

Conan voelde de druk in hem toenemen en hij wist dat het niet lang meer zou duren voordat hij ontplofte.

Hij hield haar heupen vast en dronk elke beweging van hartstocht op haar gezicht, elke beweging van haar borsten in zich op.

Het was heel dichtbij...

En toen, zonder waarschuwing, klom ze van hem af, leunde in zijn armen en snakte naar adem.

Het zweet druppelde over haar hele lichaam, net als het zijne, en zijn kloppende erectie stond nog steeds trots, glad van haar sappen.

Ze leunde weer naar voren, glimlachend, en streek met een vinger langs zijn pik, waarbij ze het vocht van zijn gezwollen hoofd veegde.

Haar aanraking was bijna pijnlijk, en hij wilde zo graag weer bij haar zijn, om af te maken waar ze aan begonnen waren, maar dit moest voor haar zijn, aangezien hij dat min of meer had beloofd.

Het bleek dat het wachten kort was.

Al snel duwde ze zijn harde erectie opnieuw in haar zachte, verwelkomende kutje, beiden hijgend van genot.

Ze leunde een beetje naar voren, haar borsten hingen naar beneden, drukte haar handen tegen de onderkant van zijn borst en voelde zijn huid.

Hij pakte haar borsten vast, kneep in de tepels en liet haar weer kreunen.

Haar heupen drukten nu harder tegen hem aan, maar ze had nog steeds geen haast.

De bewegingen waren nog steeds langzaam, zonder het typische gegrom van ruige seks, maar eerder korter gekreun:

"Ja...ja..." fluisterde hij, "oh ja..."

Hij moedigde haar aan, waarbij zijn billen bijna van het bed omhoog kwamen om haar dieper te duwen.

Astrid's ogen waren groot en staarden hem aan, haar dijen grepen hem vast, haar borsten gleden over zijn verwelkomende handen, haar enorme tepels hard tegen zijn gladde vingers.

"Oh...ja...ik ga..." schreeuwde ze.

'Niet stoppen,' mompelde hij, bijna smekend.

Maar deze keer deed ze dat niet, en met een lange kreet en geen woorden van oprecht geluk meer, kwam ze.

Haar kutje schokte herhaaldelijk rond zijn pik terwijl hij met zijn eigen kreun van genot in haar explodeerde.

Haar hele lichaam trilde en ze pakte hem stevig in haar armen en begroef haar gezicht in zijn borst.

De nacht was, verrassend genoeg voor Conan, beter geweest dan hij had verwacht...

HOOFDSTUK X
XALTANA

Valeria was niet verrast toen Conan 's ochtends terugkeerde naar het dorp en het leek alsof hij de nacht ervoor niet veel had geslapen.

Ik had Adriana niet ontmoet, maar de conclusie over wat er was gebeurd was gemakkelijk genoeg te trekken.

Het was echter nogal verrassender om te beseffen dat Snagg rond dezelfde tijd ook naar huis was teruggekeerd.

Op basis van wat ze van dwergen wist, leek het onwaarschijnlijk dat hem iets soortgelijks was overkomen, en als dat wel het geval was geweest, had ze verwacht dat hij opgewekter zou overkomen dan hij in werkelijkheid leek.

Maar in plaats daarvan had hij zichzelf opgesloten in zijn kamer in de villa, in zijn eentje aan het mediteren.

Vermoedelijk was hij de geheime dwergendocumenten aan het doornemen die hij had verkregen, en wilde ze bekijken voordat hij ze met de rest van de groep deelde.

Toen Conan een paar uur later terugkwam, had hij kort geprobeerd met de dwerg te praten, zelfs zijn kamer binnengegaan, maar was vrijwel onmiddellijk weer weggestuurd, blijkbaar zonder veel woorden van uitleg.

Toch duurde het niet lang daarna voordat Snagg eindelijk uit zijn kamers kwam, enigszins beschaamd kijkend, en de documenten met zich meebracht.

Een groot deel van het handschrift was dwergachtig, dus hoewel de kaarten redelijk duidelijk waren, zou het waarschijnlijk enige tijd duren om ze daadwerkelijk in het stratenplan te passen.

Dus lieten ze dit achter om de kaarten verder met Zula te onderzoeken, en Valeria had voorgesteld dat zij en Conan in de tussentijd zouden proberen uit te vinden wat ze konden doen bij het College of Wizards.

In feite had Conan het grootste deel van de ochtend geslapen, wat een zekere mate van kracht van Adriana's kant deed vermoeden, maar nu liepen ze samen door de gang naar de universiteitsbibliotheek.

***

Het College van Tovenaars was in feite een gilde, hoewel leerlingen, in tegenstelling tot de meeste anderen in de stad, vaak ter plaatse studeerden, in plaats van bij particuliere bedrijven elders.

Conan zelf had hier vele jaren geleden wat magie geleerd, wat zeldzaam was voor een krijger, en Valeria was pas lid geworden van het gilde nadat haar eigen opleiding was afgerond.

Het was een prachtig gebouw, met een hoge gouden koepel en slanke torens.

Er was magie in de plaats, en degenen zonder enig talent mochten er niet binnenkomen, zelfs niet als gasten.

Tovenaarsmagie vereiste veel studie om te perfectioneren en onder de knie te krijgen, dus het bestaan van het College was van vitaal belang voor de hele begaafde gemeenschap van Tarantia, en een plaats die ze allemaal vrij vaak bezochten.

Het betekende natuurlijk ook dat het College volkomen willekeurig was over zijn lidmaatschap; Er was een groot aantal behoorlijk vervelende mensen bij.

Eén ervan naderde op dit moment.

'Ah, de avonturiers,' zei Rufus, terwijl zijn rijke stem weergalmde in de spelonkachtige hal.

Hij was een tovenaar van middelbare leeftijd, zijn donkere haar begon grijs te worden en hij had al behoorlijk wat overgewicht op zijn lange lichaam.

'Ik heb gehoord dat ze terug zijn... en ook nog heel. Wat een opluchting moet dat voor je zijn. Ik had eerder hallo willen zeggen, maar mijn leven is een sociale wervelwind, weet je?'

'Ja, we zijn vrijwel intact,' zei Conan droogjes, 'bedankt voor het vragen. Maar we willen je niet uit je drukke agenda halen. Een andere keer misschien?'

"Wat? Oh, natuurlijk. Nou, ik heb een ontmoeting met de collegemeester en later in de week een uitnodiging voor het paleis, waar ik me echt op moet voorbereiden. Hoeveel gemakkelijker moet het zijn om niemand van belang te kennen, hè?"

"Wij hebben het goed aangepakt."

'Ha! Dat zal vast wel gebeuren. Nou, leuk je te zien. En ik zie je altijd weer, na overleg met mijn secretaris natuurlijk.'

En daarmee vertrok de pompeuze dwaas, ongetwijfeld op zoek naar iemand die nog spraakzamer was dan hij.

Ze zuchtten allebei stilletjes van opluchting en gingen naar de bibliotheek.

De universiteitsbibliotheek besloeg een groot deel van het gebouw en was misschien wel de grootste verzameling documenten van de stad.

De enige uitzondering zou de Tempel van Kennis kunnen zijn geweest, maar aangezien alleen het priesterschap er ooit toegang toe had, was het moeilijk om dat zeker te weten.

De officiële beheerder van de bibliotheek was een kleine vrouw met de naam Estari, die van achter haar bureau tevoorschijn kwam toen ze door de stenen boog naar de ingang liepen.

'Goedemiddag, goedemiddag,' zei hij met zijn gebruikelijke, enigszins nerveuze glimlach, terwijl hij in een reflex zijn gewaad gladstreek. "Is er iets waarmee ik je kan helpen?"

Zijn ogen gingen van de een naar de ander, terwijl hij ernstig zijn handen samenvouwde.

'We zijn op zoek naar documenten over de magische geschiedenis van de stad,' legde Valeria uit, 'persoonlijkheden en gebeurtenissen uit het verleden.'

'O ja, natuurlijk,' zei Estari, 'onze gegevens zijn uitgebreid, zoals je weet. Ik zal je laten zien wat we hebben... Ik weet zeker dat je het meer verhelderend zult vinden. Het College van Tovenaars is er één van. van de oudste instellingen in de stad, weet je. De geschiedenis ervan is eigenlijk heel interessant.'

Kennelijk blij dat ze hen ergens mee konden helpen, leidde ze hen door de hoge planken vol boeken en boekrollen.

"Ik...uh...ben je onlangs uit geweest?"

Het leek alsof ze een gesprek probeerde aan te knopen, alsof iemand haar had verteld dat ze zo sociaal moest zijn, maar daar had ze niet veel ervaring mee.

Eerlijk gezegd kon Valeria zich niet herinneren haar ergens anders dan in de bibliotheek te hebben gezien, meestal met haar neus in een of ander oud boekdeel.

Ze dacht dat de vrouw niet veel uitging.

'Ik neem aan dat ze nog een tijdje in de stad zullen zijn? Ik bedoel, zijn ze geïnteresseerd in hun verhaal?'

'Ja, dat denk ik wel. En ik weet zeker dat de bibliotheek een heel nuttige hulpbron zal zijn.'

"Oh God!" zei Estari, voor het eerst oprecht stralend.

De elfenvrouw bedacht dat ze er op dat moment eigenlijk heel mooi uitzag, maar dat moment ging snel voorbij.

Eigenlijk had ze absoluut meer naar buiten moeten gaan.

'Nou, hier zijn we dan,' vervolgde de bibliothecaresse, schijnbaar opgelucht dat ze weer over haar zaken kon praten, in plaats van over de ingewikkelde puinhoop die het echte mensenleven was, 'deze rollen en rollen zouden alles moeten hebben wat je nodig hebt. Er is een leestafel. ' vlak achter die stapel. Maar als je hulp nodig hebt, vraag het dan gewoon! Je weet me te vinden.'

Ze bedankten haar, en ze maakte een lichte buiging, zwaaide even met haar handen en verdween toen in de stapels, terug naar haar bureau, en wat ze ook had gelezen toen ze binnenkwam.

'Niet jouw type, Conan?' fluisterde Valeria en merkte op dat de krijger nooit had geprobeerd met de bibliothecaris te flirten.

"Zal ik daar zijn?" Conan glimlachte bij de gedachte: 'Nee, niet echt.'

Toen werd zijn gezicht een moment nadenkend, ‘hoewel ik moet bekennen dat ik nu minder zeker ben dan vroeger over mijn ‘type’. De gebeurtenissen kunnen verrassend zijn... maar,' voegde hij eraan toe, op een meer zakelijke toon . tome. , "Daar zijn we hier niet voor."

'Heel waar,' beaamde Valeria. Ze vroeg zich af wat hij met het bovenstaande bedoelde, maar besefte dat ze het hier niet verder wilde bespreken.

Hij keek om zich heen en zag dat ze zich in een smalle ruimte bevonden tussen twee hoge stapels, allemaal hoog opgestapeld met geschreven materiaal.

Veel van de planken bevonden zich ver boven hoofdhoogte, wat erop wijst dat de ontwerpers levitatie eenvoudigweg als iets vanzelfsprekends hadden beschouwd... hoewel dat vermoedelijk geen rokken waren.

Ze begonnen de planken binnen handbereik te doorzoeken, een activiteit die veel tijd in beslag nam, gezien de stapel die ze hadden.

De boeken waren gemakkelijk genoeg om te controleren, maar de rollen moesten worden geopend om te zien wat ze bevatten, en het duurde een hele tijd voordat ze genoeg relevant materiaal hadden om naar de leestafels te brengen.

Terwijl ze dat deden, zag Valeria een andere magiër langs hen heen lopen, verderop in de bibliotheek.

Ze was een aantrekkelijke vrouw, met een gebruinde huid en zwart haar tot op haar schouders, maar het was de jurk die echt zijn aandacht trok.

Toegegeven, er was niets verrassends aan het feit dat vrouwelijke magiërs onthullende kleding droegen.

Het leek tegenwoordig een populair modestatement in Tarantia.

Maar toch leken de kleding bij deze vrouw echt opvallend.

Het was een geheel witte jurk, met een rok die tot net boven haar enkels reikte, maar aan één kant openging tot halverwege haar heupen.

Met een spleet die zo breed was aan de basis dat hij niet veel van haar blote rechterbeen kon bedekken.

Vanuit haar huidige hoek kon ze heel weinig van de voorkant van de jurk zien, hoewel deze duidelijk over haar schouders hing en op zijn plaats werd gehouden door slechts een paar smalle bandjes.

De rug was echter onder het midden van zijn rug uitgesneden, waardoor een uitgestrekte blote huid en de binnenvorm van zijn schouderbladen zichtbaar waren.

De jurk was mouwloos, maar haar armen waren niet bloot, aangezien ze gouden armbanden om haar bovenarmen droeg en mouwachtige kanten kledingstukken die reikten van haar handen tot haar ellebogen.

Een smalle taille omringde hem, en Valeria's ogen stonden even stil en observeerden de beweging van zijn heupen en billen onder de witte stof.

De vrouw sloeg de hoek om en vertrok.

Zij en Conan keken elkaar aan en beseften dat ze allebei naar hetzelfde hadden gekeken, glimlachend om hun duidelijk gedeelde gedachten.

'Je hebt de hele ochtend geslapen ,' grapte Valeria, 'daarna is het een beetje vroeg, nietwaar?'

'Het is niet vroeg om te kijken,' antwoordde hij met een lichte glimlach.

Ze vonden de leestafels gemakkelijk genoeg en plaatsten de documenten die ze hadden ontdekt erop.

Het zou waarschijnlijk een lange middag worden, bedacht Valeria, terwijl ze een stoel omhoog trok en de eerste boekrol opensloeg om de inhoud gedetailleerder te bekijken.

***

Een uur later leken ze iets verder voor te staan.

Het was duidelijk dat er veel geschiedenis moest worden doorgenomen, en een groot deel ervan was misschien relevant voor hun zoektocht, maar het was moeilijk te zeggen welke.

Zoals Estari had opgemerkt, was het College een van de oudste instellingen in de stad, en de magiërs die er woonden hadden tot dan toe veel gebeurtenissen in kaart gebracht.

Veel van wat hij catalogiseerde, concentreerde zich op zijn eigen zorgen, waarbij hij meestal probeerde zichzelf zo indrukwekkend mogelijk te laten klinken.

Rufus was in dat opzicht duidelijk niet ongebruikelijk.

Maar er waren ook verwijzingen naar gebeurtenissen waarbij magische wezens blijkbaar naar de stad waren ontsnapt, waarvan sommige potentieel gevaarlijk waren.

Er was relatief weinig over de oude ruïnes beneden, hoewel er zelfs hier enkele verwijzingen waren, waarvan sommige nuttig zouden kunnen zijn.

Valeria peinsde dat dit misschien wel lang zou duren, maar dat het waarschijnlijk geen complete tijdverspilling zou zijn.

Hij stond op en strekte zijn rug nadat hij te lang had gezeten.

'Ik zal kijken wat ik nog meer kan vinden,' zei hij, terwijl hij de documenten bijeenraapte die hij al klaar had.

'Ik ben zo terug.' Conan knikte en ze keerde terug naar de stapels geschiedenis.

Ze hadden veel van de onderste planken klaar, dus nadat ze had teruggebracht wat ze al had, strekte Valeria haar nek uit om naar enkele planken boven hoofdhoogte te kijken.

Zijn oog viel vrijwel onmiddellijk op de rug van een boek, geëtst met een patroon dat een beetje op een waterval leek, hoewel de blauwe tint nu enigszins vervaagd was.

Het zou informatie kunnen bevatten over de waterbronnen onder de stad, hoewel er nog een tiental andere mogelijkheden waren.

Hij was een beetje hoog, dus strekte hij zich uit op zijn tenen en strekte een arm uit boven zijn hoofd.

'Sta mij toe,' zei een vrouwenstem op aangenaam mooie toon.

Zodra ze sprak, begon het boek te kronkelen, zich los te maken van zijn buren en vervolgens de lucht in te zweven, vlakbij Valeria's hand.

'Bedankt,' zei ze, terwijl ze het boek pakte, een beetje beschaamd dat ze er niet aan had gedacht hetzelfde te doen.

Maar toen had hij bedacht dat het niet buiten zijn bereik lag, en hij had het waarschijnlijk ook op de conventionele manier kunnen aanpakken.

Ze draaide zich om en keek naar haar weldoener en herkende de vrouw die zij en Conan eerder hadden bewonderd.

Van dichtbij was ze zelfs nog mooier.

Haar huid was licht gebruind en, voor zover hij kon zien, had ze een vlekkeloze huidskleur, die het zuivere wit van haar jurk contrasteerde en accentueerde.

Haar ogen waren donker, omlijst door zachte wimpers, haar lippen vol en haar neus aangenaam rond.

Hij kon nu zien dat de jurk aan de voorkant bijna net zo diep was uitgesneden als aan de achterkant, een brede driehoekige halslijn die tot aan de bovenste ronding van haar borsten reikte, en een smalle spleet die tot onder de basis van haar borstbeen doorliep.

De strakke stof omhelsde haar figuur, waarbij de opening aan de voorkant de blote huid van de binnenste ronding van haar borsten liet zien.

Aan de onderkant was de voorkant van haar riem versierd met zilveren versieringen en een brede gesp, maar Valeria hief onmiddellijk haar hoofd op om nog eens naar het gezicht van de vrouw te kijken, omdat ze niet te vooruitstrevend wilde lijken.

Hopelijk had ze zich als mens niet gerealiseerd dat ze dit soort effect op een andere vrouw kon hebben.

'Ik denk dat het de leerlingen zijn,' zei de vrouw, 'soms zetten ze voor de grap de beste dingen buiten hun bereik. Maar dan laten ze alles in de war, zonder zelfs maar te proberen het te laten zoals het was. Mijn naam is Xaltana , trouwens." "voegde hij eraan toe, terwijl hij zijn hand uitstak.

'Ik ben Valeria. Leuk je te ontmoeten.'

Xaltana's hand was warm en zacht, de huid van een magiër, niet van een handarbeider.

De mens leek haar daar een moment langer vast te houden dan strikt noodzakelijk was, terwijl haar duim een seconde over de vingers van de elfenvrouw gleed voordat ze haar losliet.

'Over de leerlingen kan ik niets zeggen,' zei hij. 'Ik trainde tussen elven, ver weg. Wij doen de dingen een beetje anders.'

'Dat is mij verteld,' antwoordde Xaltana, terwijl haar mondhoek iets omhoog ging alsof het een privégrapje was.

Valeria vroeg zich af of ze überhaupt wel iets afwist van de seksuele gewoonten van elfen; Het was niet bepaald een geheim, maar in deze stad leek het niet algemeen bekend.

'Er was hier ooit een elfeninstructeur, toen ik leerling was. Ze heeft me veel geleerd.'

'Mijn collega heeft hier een tijdje gestudeerd,' zei Valeria, knikkend in de richting van de leestafels, onzichtbaar achter een van de hoge boekenplanken. 'Maar dat is lang geleden. Hoewel hij een krijger is...'

'...Ouder dan hij eruitziet,' maakte Xaltana zijn einde voor haar, en ze glimlachten allebei plotseling, zonder enige reden.

De elf besloot dat ze deze menselijke vrouw leuk vond, met haar mooie stem en zachte huid, haar ontspannen glimlach en haar perfecte tanden wit als haar jurk.

‘Ik kan je echter één ding vertellen over de leerlingen hier,’ vervolgde hij, ‘hoewel ik niet weet of jouw vriend dezelfde was toen hij hier was: het is een wonder dat ze enige magische opleiding krijgen, ze besteden zoveel tijd drinken, grappen maken en aan de wereld denken.'Het andere geslacht.'

'Dat klinkt zeker als Conan,' beaamde Valeria, 'tenminste gedeeltelijk . Ik denk niet dat hij zoveel veranderd is! Dus, hoe zit het met jou?'

'Je bedoelt: wat moet ik doen, of was ik toen net als de andere leerlingen?'

Alsof hij de eerste mogelijkheid volledig negeerde, vervolgde hij:

"Nou, ik kan niet zeggen dat ik onschuldig ben. Maar de elfeninstructeur die ik noemde opende de deuren naar een aantal zeer interessante mogelijkheden voor mij. Dus ik kan in alle eerlijkheid niet zeggen dat mijn tijd noodzakelijkerwijs gevuld was met nadenken over het andere geslacht, ja." Je begrijpt wat ik bedoel."

Valeria voelde voor het eerst de ogen van de vrouw op haar gericht.

Zijn blik reisde definitief over het lichaam van de elf, nam de vorm aan van haar heupen en middel, en ging vervolgens langzaam omhoog, om uiteindelijk in haar ogen te kijken.

'En', zei Xaltana, 'ik zou vaak willen dat ik terug kon gaan naar die dagen en ze opnieuw kon beleven, om het zo maar te zeggen.'

Op dat moment verscheen Onna onmiddellijk in zijn gedachten.

Natuurlijk waren ze officieel niet 'samen': ze leefden gescheiden, en hoe dan ook zou de menselijke samenleving zoiets niet echt herkennen.

Maar de vriendschap die ze al een tijdje deelden, had een nieuwe, rijkere dimensie gekregen.

Onna werd ook steeds beter in bed, leerde precies wat haar partner opwond en overwon een levenslange remming tegen relaties tussen mensen van hetzelfde geslacht.

Voor elfen waren korte relaties met andere metgezellen niets ongewoons.

Sterker nog, zo bedacht hij, leek Conan daar een goed voorbeeld van om van een menselijke krijger te veranderen.

Maar ook voor haar was er niets ongewoons aan.

Het enige dat werd afgekeurd, was het proberen een lange relatie met twee mensen tegelijk te hebben, die anders behoorlijk moeilijk te onderhouden was.

De genegenheid die hij voor Onna voelde was echt, maar in de elfencultuur betekende dat niet dat ze geen andere persoon kon ervaren, of het nu een man of een vrouw was.

Dat vond hij goed, maar hij vroeg zich af of Onna er ook zo over dacht.

Ze was een mens, opgegroeid met menselijke gewoonten en gebruiken.

Ze had zich er al van bevrijd, maar dat betekende niet dat ze klaar was voor het volledige scala aan elventradities.

Mensen hadden bijvoorbeeld een veel kortere levensduur en hadden de neiging om anders over dingen na te denken.

Conan leek daar nooit een probleem mee te hebben, maar hij had ook geen stabiele partners, wat misschien het verschil maakte.

Terwijl ze nadacht, krulde Xaltana afwezig haar haar met een vinger, liet het vervolgens los en liet haar vinger langs de basis van haar nek glijden naar het decolleté dat zichtbaar was door haar laag uitgesneden jurk.

Valeria merkte dat haar ogen de beweging volgden en keken hoe deze verder naar beneden dreef, rustend tussen de zachte huid van Xaltana's borsten, naar beneden gericht alsof het een uitnodiging was om verder te verkennen.

Hij keek weer naar het gezicht van de vrouw en zag het puntje van een roze tong over haar lippen glijden.

'Ik zal zien wat ik kan doen,' zei ze hees tegen zichzelf, 'waar kunnen we elkaar ontmoeten?'

***

Zodra ze alleen in de kamer waren, nam Valeria Xaltana's gezicht in haar handen en plantte een volle kus op haar lippen.

De magiër had haar al opgewonden en ze kon niet langer wachten om meer van haar lichaam te verkennen.

Het was behoorlijk moeilijk geweest om hun handen niet te laten spelen terwijl ze door de gang liepen.

Terwijl ze elkaar kusten, voelde ze de handen van haar partner over haar rug glijden, waarbij ze in een bil kneep terwijl ze tegen de deur leunde om deze dicht te doen.

'Een momentje,' hijgde Xaltana, zich even losmakend van Valeria's kussen.

Hij haalde zijn hand van de heupen van de elf en duwde haar met een ingewikkeld gebaar tegen de deur.

Er was een korte lichtgloed rond de deurpost toen de vergrendelingsspreuk in werking trad, zodat ze niet werden onderbroken.

Ze zaten in het leerlingverblijf, in een klein kamertje dat momenteel leeg stond, te wachten tot er een nieuwe leerling op de school arriveerde.

Valeria vermoedde dat de kamer meer herinneringen bij haar partner opriep, aan hun eerste ervaring met het bedrijven van de liefde met de andere vrouw.

Dat voelde een beetje vreemd, alsof ze de plaats van iemand anders innam, maar aangezien de vrouw net zo aantrekkelijk en gewillig was als Xaltana, was ze bereid dat over het hoofd te zien.

Al snel kusten ze elkaar weer, hun lichamen tegen elkaar gedrukt, vingers door elkaars haar, tongen in elkaar verstrengeld.

Xaltana manoeuvreerde de elf naar het kleine bed en duwde haar er zachtjes op.

Er was weinig anders in de kamer dan een bureau, enkele lege planken en een kleine, onverlichte open haard.

Een klein raam hoog in de hoek zorgde voor licht.

Ze hadden allebei op magische wijze meer licht kunnen creëren, maar dat was niet nodig.

Toen Valeria weer op bed lag en de matras onder haar voelde kraken, maakte Xaltana zich los van de kus.

Hierdoor kon hij haar gezicht zien, de lippen iets uit elkaar, terwijl hij met zijn handen langs de zachte flanken van de elf streek en haar heupen en de vorm van haar benen voelde. onder haar jurk.

Hij pakte de zoom van haar rok, tilde die over Valeria's knieën en knielde toen op de vloerbedekking om de achterkant van een tenger kalf te kussen.

Valeria sloot haar ogen terwijl Xaltana de actie voortzette, terwijl ze met één hand de zijkant van haar been streelde en de binnenkant kuste.

Hij zuchtte lichtjes toen de vrouw de gevoelige huid op de achterkant van zijn knieën bereikte en vervolgens verder ging langs zijn dijbeen.

Ze deed haar ogen open om nog eens te kijken en zag Xaltana's hoofd onder de plooien van haar rok verdwijnen, terwijl haar kussen langs de binnenkant van haar dij omhoog liepen, steeds dichter bij haar kruis.

'Zijde vlekt gemakkelijk,' zei ze plotseling, terwijl haar metgezel aan de zoom van haar slipje begon te knabbelen.

Xaltana stopte vriendelijk, trok haar hoofd uit haar rok en ging naast hem op bed zitten.

'Je ruikt lekker,' zei hij, terwijl hij zijn neus tegen de onderkant van Valeria's nek drukte, terwijl de warme adem de korte haartjes daar verstoorde.

De elf ondernam uit zichzelf geen verdere stappen, wachtend op wat er daarna zou gebeuren.

Xaltana sloeg een arm om haar middel en pakte daarbij de hand van de elf vast.

Ze kuste de basis van Valeria's kaak, ging toen omhoog, haar tong bewoog behendig de buitenkant van haar oor, gleed over het puntige puntje, en kuste het toen, zacht als een vlinder.

"Mmm...goede herinneringen," zuchtte hij.

De elf mompelde iets als antwoord, iets onbelangrijks en weinig betekenis, en verstrengelde haar vingers met die van haar metgezel.

Ze leunde naar voren terwijl Xaltana om haar heen reikte om de bandjes aan de achterkant van haar jurk los te maken en haar armen uit haar lange mouwen liet glijden.

De menselijke vrouw bleef even staan terwijl ze dat deed, terwijl ze haar hand over Valeria's bovenarm en vervolgens langs haar zij, onder haar jurk, liet glijden, terwijl ze de zuivere zijde tegen haar huid drukte, met haar vingers warm en zacht.

Valeria trok de rest van haar rok uit, liet haar andere hand los en draaide zich om om haar partner opnieuw op de lippen te kussen.

De kus bleef lang hangen terwijl Xaltana's handen gretig over haar lichaam dwaalden; ze streelde haar heupen, streelde haar dijen, stak haar hand uit om een borst door de dunne stof te persen en voelde de strakke tepels van de elfenvrouw.

Toen de kus eindelijk voorbij was, leunde Valeria achterover om haar minnaar beter te kunnen zien.

Ze zag er net zo mooi uit als voorheen, of zelfs nog mooier nu, met haar donkere ogen groot van passie.

De elf streek met een vinger langs de basis van haar nek, voelde de zachte huid en gleed langs haar voorhoofd naar het ruime decolleté dat zo openlijk zichtbaar was.

Ze bewoog haar vinger tussen de borsten van de mens, plaagde haar een beetje, stak een hand door de krappe ruimte van de jurk om de onderkant te voelen, de zwelling van de zachte huid comfortabel tegen haar handpalm en vingertoppen.

Ze kusten elkaar opnieuw, kort, terwijl Valeria de bandjes van Xaltana's jurk over haar schouders haakte, waardoor de vrouw haar armen kon bevrijden en de witte stof naar beneden kon schuiven om deze rond haar middel te kreuken.

Xaltana's blote borsten waren zo perfect als ze hadden beloofd, gebruind net als de rest van haar lichaam, duidelijk een natuurlijke huidskleur, niet het resultaat van zonlicht.

Haar tepels waren donkerbruin, puntig en verleidelijk.

Hij verkende ze volledig met beide handen, voelde de vorm en stevigheid ervan voordat hij zich bukte om ze te kussen, waardoor Xaltana schreeuwde van plezier terwijl hij de tepels likte met zijn tong, de ene speelde en streelde voordat hij naar de andere ging.

Terwijl ze dat deed, trok haar metgezel al aan haar slipje en tilde het op haar rug, en ze werd gedwongen haar taken te onderbreken om het over haar hoofd te tillen, waardoor haar lange blonde haar vrijkwam.

'Mooi,' zei Xaltana, starend naar het lichaam van de elf, alleen gekleed in haar korte slipje.

Hij boog zich naar beneden, lager dan Valeria had verwacht, kuste haar navel, bewoog een duim over de bovenkant van haar slipje en gleed naar de binnenste hoek van haar heupen.

Ze kwam omhoog, drukte haar lippen tegen de rechtertepel van de elf en zoog er lichtjes op terwijl ze haar ene hand bewoog om de andere te strelen.

Valeria zuchtte, bewoog haar hoofd opzij om te kijken hoe de andere vrouw zoog, en bewoog een hand om een van de hangende borsten van haar partner te cuppen en te strelen.

Het moment was voortreffelijk, teder en liefdevol, een moment waar ze van wilde blijven genieten.

Ze kusten elkaar opnieuw, hun borsten tegen elkaar gedrukt.

Valeria bukte zich om de rok van haar partner over haar heupen te trekken, pakte haar dijen vast terwijl ze op de grond gleed en naast de schoenen terechtkwam die ze allebei al hadden uitgetrokken.

Xaltana's eigen handen reikten naar haar slipje, en ze stond iets op van het bed om het uittrekken ervan te vergemakkelijken, terwijl ze achterover leunde om op haar handen en billen te rusten.

'O,' zei Xaltana, terwijl haar blik over elke centimeter van het lichaam van de elf dwaalde en nu tussen haar benen stopte.

Zijn hand volgde hem naar beneden, over Valeria's dunne buik, de heuvel van haar geslacht, en voelde daar de lok blond haar.

Vervolgens rond de binnenkant van haar dijen, om zachtjes haar schaamlippen te strelen.

Valeria spreidde haar benen verder, waardoor haar partner een beter zicht kreeg... en betere toegang.

Ze hapte onwillekeurig naar adem toen de vinger van de vrouw naar binnen gleed en behendig langs haar gezwollen plooien bewoog.

Hij ging dieper, onderzocht haar vlees, zocht naar de bewegingen die de beste reacties opleverden en vond haar klitje.

Als reactie daarop bewogen haar heupen naar achteren, waardoor Xaltana's vinger mee kon bewegen met haar bewegingen, en ze begon naar adem te snakken en te kreunen naarmate het genot toenam.

De menselijke vrouw was hier ongetwijfeld goed in.

Ze hief een arm op om Xaltana's rug vast te pakken, zette haar nagels in zijn schouder en hield zich stevig vast terwijl het betasten doorging.

Ze vielen op de matras, van aangezicht tot aangezicht, en Xaltana liet los, tilde haar vinger op om hem tegen haar lippen te drukken, likte hem een seconde voordat hij hem aan de elf gaf, en moedigde haar aan haar eigen sappen op te likken.

'Jij smaakt ook lekker,' zei Xaltana, 'vind je niet?'

Valeria glimlachte alleen maar als reactie en bukte zich om de prachtige borsten van de vrouw nog een keer te kussen, voordat ze zich langzamer liet zakken.

Ze zwaaide haar benen van het bed toen ze Xaltana's witte katoenen slipje bereikte en trok ze naar beneden, waardoor de mens niets anders droeg dan de kanten mouwen op haar onderarmen.

Haar schaamhaar was donker, maar niet te dik, en haar kutje was nat en zag er uitnodigend uit.

Ze kuste eerst de gezwollen plooien met haar lippen, waardoor de vrouw kronkelde, totdat ze haar benen over de schouders van de elf hief om haar beter toegang te geven.

Zijn tong volgde hem, drong diep door in Xaltana's nattigheid en proefde haar smaak.

De menselijke vrouw smeekte iets over de godin terwijl de elf doorging met likken en zachte geluiden tussen de harde plooien liet ontsnappen.

Valeria keek op en zag haar borsten bewegen, en zoog toen gretig aan haar klitje, wat de langste kreun tot nu toe opwekte.

"Alsjeblieft... alsjeblieft..." Xaltana schreeuwde, "Ik wil dat je... ik moet je plezier geven... om je..."

Het idee werd nooit voltooid toen Valeria, die de behoefte van de vrouw voelde, weer op bed klom en naast haar ging liggen.

Ze kusten elkaar nog een keer, Xaltana proefde zichzelf nu aan de lippen van de elf, haar handen dwaalden over elkaars lichamen, streelden en kneedden borsten, flanken, billen en dijen, bewegend tussen haar benen naar de hete nattigheid binnenin.

Xaltana's huid was zacht, glad en uitnodigend onder zijn vingertoppen, terwijl harde tepels tegen haar lichaam drukten.

Valeria kon aan niets anders denken dan haar te bezitten, deze mooie vrouw in haar armen tot een hoogtepunt te laten komen.

Ze kozen ervoor om op hetzelfde moment hun vingers in elkaar te duwen.

Valeria zou hebben geglimlacht om de synchroniciteit als een hartstochtelijke kus op dat moment niet zo diep was geweest.

Ze vonden al snel een wederzijds ritme, waarbij de vingers eenstemmig bewogen, de heupen tegen elkaar drukten en de borsten over elkaar heen gleden in hun steeds glibberiger zweet.

Xaltana was de eerste die ophield met kussen, nu te hard hijgend om haar adem lang in te houden, en vervolgens huilde met gekreun in haar keel.

Terwijl hij dat deed, bewoog zijn hand sneller en krachtiger, totdat Valeria's kreten van hartstocht zich vermengden met die van hemzelf.

Haar clitoris stond in brand, en net zo zeker als die van haar partner.

Het gedeelde plezier was overweldigend en nam al het andere uit zijn gedachten.

Hij voelde het kutje van Xaltana een paar seconden eerder samentrekken dan dat van hemzelf.

De menselijke vrouw schreeuwde in het begin van haar orgasme terwijl ze haar gezicht in de holte van Valeria's nek drukte, waarbij blond haar zich vermengde met duisternis.

Golven van plezier spoelden over haar lichaam toen ze als antwoord kwam.

Hun benen verstrengelden zich terwijl de lakens langs het verwrongen lichaam van de elf bewogen.

Ten slotte haalde ze diep adem en ze hielden elkaar stevig vast en deelden de post-orgastische gloed.

Hij zou spoedig naar Conan moeten terugkeren... maar misschien kon hij nog wat langer wachten.

.

HOOFDSTUK XI
YASIMINA

Het paleis van de emir lag vlakbij het centrum van de stad, met zijn drie gouden koepels die net zo kenmerkend waren als de minaretten van de grootste tempels.

Vanaf hier bestuurden de heersers van Tarantia de stad en eisten trouw aan de meer verspreide landen eromheen.

Het paleis lag aan een groot plein, vlakbij de markt, de ziel van de stad.

Geen enkele bezoeker was onder de indruk; de emir en zijn regering maakten een duidelijk statement over de rijkdom en macht van hun domein.

Lady Yasimina was hier al vaker geweest, maar deze keer moest ze toegeven dat ze zich een beetje bang voelde.

Uit wat Conan en Valeria op het College van Tovenaars hadden ontdekt, bleek dat de dreiging die in de oude documenten werd genoemd heel reëel was.

Het College maakte nooit rechtstreeks melding van deze gebeurtenissen, wat ongetwijfeld verklaarde waarom dit aspect van het verhaal zo onbekend was, maar het bevestigde in hoge mate wat de oude boekrollen zeiden.

Ze verwezen gedeeltelijk naar een tijd waarin de demonische invloed in de stad sterk was geweest, en vervolgens zonder duidelijke reden plotseling was verdwenen, en vervolgens werd afgedaan als gevolg van weinig meer dan de toenemende en afnemende natuurlijkheid van helse machten.

En misschien was het ook zo; Omdat er geen direct bewijs was om het verhaal van de oude avonturiers te ondersteunen, was het moeilijk om het zeker te weten.

Maar Yasimina twijfelde er nu aan en was geneigd ze als echt te aanvaarden.

Op zijn minst was het nu absoluut noodzakelijk om de oude tunnels onder de stad te gaan verkennen.

Als het toevallig allemaal een fabel was, zou dat snel duidelijk worden, maar nu verzamelde zich te veel bewijsmateriaal om te geloven dat het onwaarschijnlijk was.

Wat haar bij haar huidige twijfels bracht.

Vermoedelijk zou de helse kracht in de diepte, wat het ook precies was, de leiders van de stad gaan beïnvloeden in een poging haar dominantie opnieuw te bevestigen.

Sommigen van hen zouden secundaire mensen achter de schermen zijn, die hun doelen konden bereiken met een stil knikje hier en daar, maar sommigen zouden zeker de zichtbare leiders zijn.

Dat was tenslotte de reden waarom de avonturiers die de originele documenten schreven de stad moesten ontvluchten zonder een duidelijkere waarschuwing achter te laten.

Dus wie kon ze vertrouwen?

Waren de gildeleiders of tempelpriesters beïnvloed?

Hoe zit het met de adellijke families, de bureaucratische en militaire leiders, of de emir zelf?

Toch was ze hier, reagerend op een uitnodiging voor een receptie in het paleis, precies waar deze mensen ook zouden zijn.

Terwijl ze de lage treden naar de grote zuilengevel van het gebouw beklom, was ze blij toen ze enkele van de weinige mensen zag waarvan ze wist dat ze ze kon vertrouwen.

Sir Arthur en pater Kaleb waren niet alleen haar vrienden, maar ze waren ook volgelingen van Ymir, de god van de ridderlijkheid, net zoals zij.

De krachten van Ymir, geschonken aan haar paladijnen en geestelijken, maakten het voor hen veel gemakkelijker om helse magie te detecteren en te weerstaan.

Als een of ander demonisch wezen de stad zou willen overnemen, zou het veel gemakkelijker zijn om dat te doen door uit de buurt van Ymirs priesters te blijven, waardoor het risico van vroegtijdige ontdekking wordt vermeden.

Op de lange termijn zou hij ze ongetwijfeld willen marginaliseren, of zelfs volledig willen verslaan, omdat ze vijanden zouden zijn en geen pionnen.

Sir Arthur was ongeveer van haar leeftijd, een paladijn zoals zij, hoewel lokaal, niet van de zuidelijke eilanden.

Ze kende hem al heel lang, bijna sinds zijn aankomst in de stad, en hij was een blijvende en constante vriend geweest, hoewel zijn avontuurlijke dagen ervoor zorgden dat ze hem minder zag dan ze zou willen.

Hij was nu, net als zij, gekleed in dure kleding, niet het pantser van zijn vak, maar het rijke fluweel van zijn kleding kon de breedte van zijn schouders, noch de gespierdheid van zijn lichaam, verbergen.

Hij was ook knap, met fijn gebeitelde gelaatstrekken, steil, donker haar en bruine ogen die een vastberadenheid verraden om voor gerechtigheid en eer te vechten.

Ze was er zeker van dat veel vrouwen voor zijn charmes waren gevallen, maar zijn geloften als paladijn zouden hen teleurgesteld hebben achtergelaten.

De code van zijn orde legde het celibaat als zodanig niet op, maar moedigde ook geen losbandigheid aan.

Vleselijke verlangens moesten worden vervuld door middel van een huwelijk of, op zijn minst, door langdurige verplichtingen en strikte monogamie.

Zonder hun gedeelde idealen van romantische liefde vermoedde hij dat de kerken van Ymir en Muriela voortdurend met elkaar in conflict zouden zijn.

Om het zo maar te zeggen: de betrekkingen waren niet veel meer dan formele hartelijkheid.

Natuurlijk was ze ook een paladijn en had ze dezelfde geloften afgelegd, waarbij ze haar maagdelijkheid behield terwijl ze er nog was.

Toen hij Arthur en de anderen begroette en zij de grote zaal van het paleis binnengingen, voelde hij daar bijna een steek van spijt.

Ze was niet zoals Conan of Valeria, wier vele korte ontmoetingen de moraal van hun elfenverwanten leken te volgen.

Sterker nog, zo leek het haar, bij Conan, ondanks het grote gewicht van haar menselijke erfenis.

Zula, die ze niet kende. misschien was ze discreter, hoewel het onwaarschijnlijk leek dat de schurk zich te veel bekommerde om de conventionele moraal.

Maar voor haar was de paladijncode van cruciaal belang, omdat deze haar rol definieerde, niet alleen in het avontuur, maar in de wereld als geheel.

De paladijnen vochten tegen onrecht en de krachten van het kwaad.

In ruil daarvoor brachten ze offers voor het grotere goed.

Maar dat kleine stemmetje van spijt zei nog steeds dat ze Arthur graag beter wilde leren kennen, als meer dan alleen een vriend.

Ze was tenslotte een vrouw, met de verlangens van een vrouw, ongeacht welk uiterlijk masker ze aan de wereld toonde.

Wie kon het niet laten om zich aangetrokken te voelen tot een man die zo knap en zo eervol is, dacht ze?

Maar ze zou niet zijn wie ze was als ze die gedachten niet kon onderdrukken en haar gedachten op hogere dingen kon richten.

Eer brengt immers vaak persoonlijke offers met zich mee...

Van pater Kaleb, de jonge predikant, wist ze minder, aangezien hij pas een paar jaar eerder was gewijd.

Maar als hij een goede vriend van Arthur was, moest hij een moedig en oprecht lid van de kerk zijn, iets wat zijn vriend hem nooit reden had gegeven om te twijfelen.

Bij deze formele gelegenheid droeg hij het gewaad van zijn rang, het zwaardembleem en Ymirs helm prominent boven zijn hart.

Het laatste lid van het trio was iemand die hij voor het eerst ontmoette toen hij de andere twee een paar avonden geleden uitnodigde in de villa.

Alatáriel was Arthur's laatste schildknaap, een jonge elf die haar geloften als volledige paladijn nog niet had afgelegd.

Het was nogal ongebruikelijk dat elfen dat pad bewandelden, maar het was zeker niet onbekend, aangezien hun soort belangrijke tradities van ridderlijkheid had, zo niet noodzakelijkerwijs standvastigheid.

Ze hoopte dat de jonge vrouw de kracht had voor de weg die voor haar lag, maar ze vertrouwde erop dat de anderen haar op de juiste manier zouden begeleiden.

"Jasimina!" Arthur zei glimlachend: 'Ik ben blij om te zien dat het je is gelukt. Zei je de laatste keer dat we elkaar ontmoetten dat er misschien iets zou kunnen gebeuren waardoor je snel weer op het pad van avonturiers zou kunnen komen?'

'Ja, dat is nog steeds waar,' gaf hij toe, terwijl ze samen naar het paleis liepen en pater Kaleb de uitnodiging aan de bewakers liet zien, 'maar ik ben bang dat ik er hier niet meer over kan praten. Hoewel ik het moet vertellen u dat we misschien nodig hebben: "Uw hulp als de tijd daar is. Ik wou dat ik niet zo discreet hoefde te zijn, maar dit is niet de plek om het verder uit te leggen."

Hij knikte, hoewel hij het duidelijk niet helemaal begreep.

Het leek er echter op dat hij in ieder geval op haar oordeel vertrouwde, en dat zou voorlopig genoeg moeten zijn.

Binnen bevonden zich een aantal gasten in de zaal, terwijl muzikanten op de achtergrond speelden en bedienden zich haastten om eten en drinken uit te delen.

Dergelijke recepties waren alledaags, omdat de emir zijn invloed zo vaak mogelijk wilde tonen aan de andere edelen en hoge functionarissen van de stad.

Deze gebeurtenis was ter ere van een of andere hoogwaardigheidsbekleder uit de Zamora Confederatie in het noordoosten, maar het leek alsof bijna elk excuus voldoende was.

Er bevonden zich zelfs een aantal Zamorans onder de gasten, die gemakkelijk te onderscheiden waren van de lokale bevolking, en zelfs van gasten uit naburige steden, door hun ebbenhouten huid en strak gekruld haar.

Net als iedereen hier waren ze op hun best gekleed, en ze vermoedde dat hun zaken hier vooral handel waren, omdat de Zamorianen rijk waren, en de uitgestrektheid van de wildernis tussen hun huis en Tarantia betekende dat ze weinig anders hadden om over te discussiëren. .

'Ah, een priester van vergeving! Het is goed om te zien dat zulke mensen hier geëerd worden,' zei een stem vlakbij.

Yasimina draaide zich om en zag een Zamoriaanse man, met witte tanden die glimlachte en naar pater Kaleb wenkte.

'We werken hier hard voor de zaak van eer en ridderlijkheid,' beaamde de priester, terwijl ze zich bij de groep mensen voegden die al met de bezoeker in gesprek waren. "Het is een strijd die over de hele wereld moet worden gestreden."

De twee paladijnen en hun schildknaap sloten zich bij de groep aan en al snel waren er overal introducties.

De Zamoriaanse man die geïnteresseerd was in Ymir was een koopman genaamd Zogar, van middelbare leeftijd en enigszins corpulent.

Hij werd vergezeld door een man die alleen maar zijn lijfwacht kon zijn, ruim 1,80 meter lang en met uitpuilende spieren op zijn blote armen.

Er waren twee lokale bewoners bij; een kale koopman die Yasimina slechts vaag kende, en een jonge vrouw genaamd Zenobia, van wie ze wist dat ze lid was van een van de adellijke huizen.

Er was ook een derde personage, een jongere man die ze niet herkende, en het was onduidelijk of hij daadwerkelijk in de groep zat of niet, terwijl hij zich van de anderen scheidde, tegen een schraagtafel leunde en tegen een wimpel sloeg .

Hij leek al een beetje dronken, en het was nog vroeg in de avond.

Yasimina keek hem afkeurend aan, maar de man leek het niet op te merken toen zijn blik zich concentreerde op de ronding van Zenobia's kont.

"Dus jullie zijn paladijnen?" Zogar vroeg : 'Ik ben nog niet eerder in Tarantia geweest en ik weet dat hun gewoonten anders zijn dan de onze. Ik heb gehoord van paladijnen... Ik denk dat ze erg op onze eigen Leopard Warriors lijken.'

'Voor zover ik het begrijp,' zei Kaleb, 'is dat juist. Paladijnen zijn heilige krijgers, in staat om het licht van vergeving in de levens van mensen te brengen, en ik leid hieruit af dat jullie luipaardkrijgers slechts in sommige van hun gewoonten verschillen.'

'Ik heb gehoord dat er weinig vrouwelijke paladijnen in Tarantia waren, maar ik zie dat dit niet het geval is,' zei Zogar, lichtjes buigend voor Yasimina. "Of bent u hier een bezoeker ?"

'Ik ben verder naar het zuiden geboren,' gaf Yasimina toe. Hij wist dat zijn blonde haar en blauwe ogen niet die van Tarantia waren, hoewel de waarheid was dat de stad kosmopolitisch was, met een zeer gemengde bevolking. 'Maar Tarantia is een vrije stad, en er zijn veel vrouwelijke paladijnen. Ik woon hier al vele jaren, en misschien is het niet zo ongewoon als je hebt laten geloven.'

Toen leek de dronken jongeman op te vrolijken, misschien omdat hij zich niet eerder had gerealiseerd dat er nog een vrouw in de groep was.

Hij wierp een blik in haar richting en deed een kleine poging om te verbergen dat hij haar mentaal aan het uitkleden was.

Ze keek hem boos aan, maar wat hij zag leek hem niet zo leuk, en richtte zijn aandacht op Zenobia.

De jonge edelvrouw had zwart haar en was magerder, en misschien was dat meer naar haar smaak.

Zogar leek haar blik gelukkig niet te hebben opgemerkt, en als hij dat wel deed, was hij te beleefd om er iets over te zeggen.

Soepel vervolgde hij zijn gesprek: 'Ook bij mij thuis kunnen vrouwen kampioen worden, al is dat niet zo gebruikelijk als bij mannen. Als je de roep hoort, mag die niet genegeerd worden.'

'Maar dat is het wel,' snauwde Zenobia, voor de eerste keer sprekend, 'je vindt het een beetje ongepast voor een vrouw om te vechten, toch?'

Zijn aristocratische toon was onmiskenbaar en zijn uitdrukking was zeer hooghartig.

Blijkbaar was ze iemand die veel tijd besteedde aan het kleineren van mensen die lager in rang waren dan zij.

'Vechten en agressie zijn toch zeker het terrein van de mannen? Nee, natuurlijk,' voegde hij er haastig aan toe. 'Nou, dat geldt ook voor paladijnen... hun stem plaatst hen boven de gewone krijger. Maar voor normale soldaten lijkt mij ongepast.'

'In mijn thuisland...' begon Zogar, maar voordat hij zijn zin kon afmaken, kwam de dronken jongeman abrupt tussenbeide.

'O, in Zamora hebben ze ook geen Ymir,' zei hij met een toon van duidelijk ongenoegen in zijn stem. "Het is zo ontzettend saai. Al dat 'je kunt dit niet' en 'je kunt dat niet'... je vraagt je af hoe ze zich kunnen voortplanten. Als je soldaten hebt, heb je nauwelijks paladijnen nodig! Blijf erbuiten! 'Als het moet, met de rangers. Die vallen tenminste niemand lastig.'

Iedereen draaide zich om om naar hem te kijken, en het leek alsof Zogar de boosste van de groep was, meer beledigd door hun gasten dan door henzelf.

Maar verrassend genoeg was het Zenobia die als eerste sprak en naar de jongeman staarde.

'Het verbaast me niet dat je zo weinig begrip hebt van het belang van eer,' zei hij, 'en ik denk dat de wijn je naar het hoofd stijgt, Yara. Ik kan niet echt zeggen wat er de laatste tijd met je is gebeurd, maar als Ymir's aanbidding van jou Het beledigt je zo erg, misschien moet je een andere plek zoeken om te drinken?

'Het gaat goed met mij waar ik ben,' zei hij, zijn ogen strak op haar borsten gericht en niet naar haar gezicht kijkend.

'Nee, dat denk ik niet,' zei de lijfwacht, terwijl hij een stap naar voren deed.

Zijn accent was dik, veel sterker dan dat van Zogar, maar hij slaagde erin de eenlettergrepige zin met een zekere dreiging te vullen.

"Of wat?" ' zei Yara spottend. "Ik heb het volste recht om te zijn waar ik wil."

De lijfwacht deed nog een stap en Arthur begon iets te zeggen om de situatie te kalmeren.

Maar op dat moment kwam er een andere man dichterbij, pakte Yara's arm en fluisterde iets in haar oor.

De jongeman keek hem boos aan en keek om zich heen om te protesteren, maar de nieuwkomer leek vasthoudend en duwde hem van de tafel weg.

'Het spijt me,' zei de man, 'ik zal ervoor zorgen dat hij je niet meer lastigvalt.'

Yasimina herkende hem als een tovenaar genaamd Thulandra, ook iemand van het College.

Misschien kenden Conan en Valeria hem.

Hoe dan ook, ze vertrokken snel en konden terugkeren naar een beleefder gesprek.

***

'Heb je Zenobia ergens gezien?'

De ondervrager was een edelman uit hetzelfde huis als de jonge vrouw.

Een oom of zoiets, dacht Yasimina.

Ze bekende dat ze de aristocraat al een tijdje niet meer had gezien, hoewel ze al eerder hadden gesproken.

'Het is heel irritant,' vervolgde de edelman, 'ik kan het gewoon nergens vinden...'

Yasimina zuchtte.

'Ik zou kunnen kijken of hij zijn neus aan het poederen is,' bood hij aan.

De man leek behoorlijk zenuwachtig, hoewel ze niet inzag hoe er een echt probleem kon ontstaan, niet hier in het paleis.

Voor zover hij van Zenobia wist, was ze behoorlijk onafhankelijk van geest, maar niet het type dat iets onaangenaams of dwaas deed.

Hij verontschuldigde zich bij de mannen, liep naar de achtergangen en was er al snel van overtuigd dat de vermiste edelvrouw er niet was.

Hij stond op het punt terug te gaan en het familielid hetzelfde te vertellen, toen hij een klap hoorde in een zijgang.

Er leek niemand aanwezig te zijn, ook niet de bewakers die gestationeerd waren om mensen buiten te houden, zoals dat uiteraard wel het geval was in veel van de meer besloten ruimtes.

Dus fronste ze haar wenkbrauwen, plotseling achterdochtig.

Hij deed een paar stappen door de gang, maar er was niets te zien behalve deuren die naar kamers leidden, en hier en daar een vaas of andere decoratie.

"Iemand daar?" ze schreeuwde.

Deze keer was er geen fout in het geluid.

Als reactie op zijn klop klonk er een zucht vanachter een van de deuren.

Iemand was duidelijk radeloos.

Yasimina gooide instinctief haar hand naar het zwaard, voordat ze zich herinnerde dat er natuurlijk geen wapens in het paleis werden gedragen.

Zwijgend vloekend reikte hij naar de deur en probeerde die te openen.

Het bewoog niet, maar de manier waarop het bewoog suggereerde dat het niet op slot zat, maar dat er een magische spreuk was gebruikt om het te verzegelen.

Dergelijke dingen was hij tijdens zijn avontuurlijke carrière tegengekomen, en de subtiele manier waarop de deur aan het kozijn was bevestigd, was heel anders dan de werking van een eenvoudig slot.

Er leken enkele geluiden van gevechten van binnenuit te worden gehoord, maar geen woorden meer.

Yasimina legde zich neer bij de noodzaak, deed een paar stappen achteruit en stormde met haar schouders de deur binnen.

Bij de tweede poging barstte het open en onthulde een kleine kamer daarachter, en de aanwezigheid van Zenobia en de dronken jongeman van vroeger, Yara.

Er stond een stoel naast hem, kennelijk de bron van het geluid dat hij eerder had gehoord.

Yara hield de edelvrouw tegen een muur, met één hand voor haar mond en de andere met een zwaaiende arm.

Haar slipje zat rond haar enkels en Zenobia's jurk was aan de bovenkant gescheurd, waardoor een blote borst zichtbaar werd.

Haar zorgvuldig gekamde haar was nu in de war, en uit haar doodsbange uitdrukking en de tranen die zich in haar ogen begonnen te vormen, bleek heel duidelijk dat ze allesbehalve een gewillige deelnemer aan de daad was.

Gelukkig zaten haar rokken nog op hun plek, dus Yara was duidelijk nog niet ver gekomen.

Hij draaide zich om en keek naar Yasimina toen ze de kamer binnenkwam. Haar gezicht was verblind en zijn erectie stak onder zijn shirt uit.

"Kom je met ons mee?" Hij zei: " Je bent een beetje vlezig voor mij, maar je hebt mooie tieten, en ik denk dat ik dat nog steeds zou kunnen doen nadat ik dit kleine teefje heb geneukt."

De paladijn deed een paar stappen door de kamer en sloeg hem met haar vuist in zijn gezicht.

Yara viel als een steen en landde hard op de grond, terwijl haar pik snel zachter werd.

Zenobia deinsde achteruit, snikkend en probeerde haar bescheidenheid te verbergen met de stukken van haar jurk.

Yara schudde haar hoofd om het helder te krijgen, probeerde op te staan en keek boos naar de paladijn, terwijl het bloed uit haar lip begon te druppelen.

'Hoe durf je...' begon hij, en op dat moment voelde Yasimina het.

Er was hier een demonische aanwezigheid, iets wat de krachten van zijn paladijn konden detecteren.

Op de een of andere manier was Yara bezeten.

Misschien had hij het nog niet eerder gevoeld omdat de aanwezigheid toen niet zo sterk en actief was, maar hij betwijfelde of het iets kon zijn dat net was gebeurd.

Terwijl hij daar stond, zijn vuisten gereed voor het geval hij iets anders zou proberen, keerden zijn gedachten terug naar wat Conan en Valeria hadden ontdekt.

Een toename van demonische bezittingen in de stad. Begon het nu?

Er ontstond commotie achter haar.

Dat hij de deur opensloeg had blijkbaar de andere gasten gewaarschuwd, en ze begonnen nu nieuwsgierig en gealarmeerd door de kleine gang te lopen.

Toen ze zich bij de deur verzamelden en naar het schilderij keken, klonk er een kreet van afgrijzen.

Gezien de toestand van Zenobia kon er weinig twijfel bestaan over wat er was gebeurd, en het leek alsof niemand geloofde in de excuses die Yara zelfs nu begon aan te bieden.

De invloed van Zenobia's familie zou ervoor zorgen dat hij een gevangengenomen bezeten man was.

De demon zou waarschijnlijk snel verdwenen zijn en niet in staat zijn wensen vanuit een gevangeniscel te vervullen.

Maar hoeveel zouden er nog meer zijn?

Toen de paleiswachten de kamer binnenkwamen om een protesterende Yara te grijpen, zag Yasimina Thulandra in de gang achter de anderen.

Hij leek teleurgesteld.

Maar nee, ze zou hebben gezegd dat hij meer verbaasd leek...

.

HOOFDSTUK XII
CASSANDRA

Het roze licht van de dageraad kon nauwelijks door het dikke gordijn dringen dat Cassandra voor het raam van haar appartement met één slaapkamer had geplaatst.

Voor haar was de dag, waar mogelijk, een goed moment om te slapen.

Hij trok de dunne lakens om zijn lichaam, liet zijn hoofd op het kussen rusten en sloot zijn ogen om het zicht op de kleine kamer te verbergen.

Op een dag zou ik misschien op een betere plek kunnen leven, maar voorlopig zou dit trieste kleine gat het moeten doen.

Hij bracht hier zo min mogelijk tijd door en gebruikte het alleen om te slapen en zich te wassen.

En voor nu, na een lange nacht vol activiteit, was slaap alles wat hij nodig had.

En de slaap kwam snel en omhulde haar in zijn vredige armen.

En al snel begon Cassandra te dromen...

De stad strekte zich onder haar uit, terwijl de sterren fonkelden aan de nachtelijke hemel erboven.

Hij leek te vliegen, terwijl een koele bries door zijn haar streek terwijl de stad langzaam onder hem voorbij trok.

Ze was volledig aangekleed, besefte hij, en niet in de mouwloze nachtjapon die ze in bed had aangetrokken.

Daar was iets vreemds aan, nietwaar?

Voordat zijn gedachtegang dat idee kon volgen, merkte hij nog iets vreemds op: de stad klopte niet helemaal.

Sommige gebouwen waren anders, met minder verdiepingen of nieuwere daken.

Ouder leek eigenlijk het juiste woord te zijn... dit was de stad zoals die er jaren geleden uit had kunnen zien.

Wanneer had ze geen idee, maar ze vermoedde dat het vóór haar geboorte moest zijn geweest.

Hoe vreemd... en toch leek het nu naar een bepaald gebouw te vliegen, in een redelijk welvarend deel van de stad, maar niets bijzonders.

Ze zwaaide met haar armen en probeerde te bewegen zoals een vogel dat zou doen, maar dit maakte geen verschil.

Het bleef naar het gebouw vliegen alsof het werd aangestuurd door een kracht die het niet onder controle kon houden.

Het huis kwam dichterbij en ze glipte naar de lege straten.

Een stevige muur stormde op haar af en ze probeerde opnieuw weg te lopen, maar er was niets te doen...

Hij sloot zijn ogen, gespannen door de klap, maar het enige wat er gebeurde was dat de wind plotseling stopte.

Hij deed zijn ogen weer open en bevond zich nu in wat leek op een pakhuis, terwijl zijn voeten langzaam naar de grond vielen.

Hij voelde de koude steen onder zijn tenen...

Had hij niet eerder laarzen gedragen?

Ze droeg ze nu niet.

Toen hij om zich heen keek, zag hij dat de kelder groot was en niet leeg stond.

Tegen een muur stond een stel planken gevuld met boekrollen en flessen.

Er stond ook een tafel met een grote kandelaar erop.

De kaarsen in de kroonluchter verlichtten de kamer, hoewel haar eigen nachtzicht, mogelijk gemaakt doordat ze een halfdemon was, haar in staat stelde meer te zien dan de meeste mensen.

Een deel van de vloer was bedekt met een grote, ronde matras, bedekt met kussens en zachte lakens.

Het was groot genoeg voor drie of vier personen, dacht hij.

Maar het was de vrouw die meteen zijn aandacht trok.

Ze was blond, had een bleke huid en was niet ouder dan dertig jaar.

Ze droeg een witte jurk, nauwelijks meer dan een onderjurk, mouwloos en met een lage V aan de voorkant, waardoor een ruim decolleté te zien was.

De zoom reikte tot halverwege de dij en werd bijeengehouden door een dun zwart koord om haar middel.

Ze droeg niets anders dan een gouden en groene hanger om haar nek, en ze knielde op de grond, met haar gezicht naar het midden van de kamer gericht.

Ze leek geen idee te hebben dat Cassandra daar was, en de halfdemon had de duidelijke indruk dat zelfs als ze bewoog, de vrouw haar niet zou zien of horen.

De vloer voor de vrouw was kaal en beschilderd met een grote cirkel, versierd met runen.

Rond de cirkel stonden op regelmatige afstanden vijf kopjes, elk gevuld met een beetje donkere vloeistof.

Cassandra had nog niet eerder een oproepcirkel gezien, maar ze wist wat het was.

Hij realiseerde zich dat de vrouw aan het zingen was en dat zich in het hart van de cirkel rookranken begonnen te vormen.

Cassandra ging haar mes pakken, maar besefte dat het er niet was.

Haar mantel ontbrak ook, hoewel ze verder volledig gekleed was.

Hij voelde een steek van angst... er was hier iets heel erg mis.

De droom leek te levendig, te vreemd en anders dan alle andere die hij de laatste tijd had gehad.

Wacht...hoe wist hij dat?

Zelden kon hij zo helder nadenken terwijl hij droomde, of beseffen dat dit in feite een droom was.

Het was alsof ze naar iets keek, een toeschouwer, maar geen deelnemer.

Nee, dit leek geen normale droom, en daarvoor was geen verklaring.

Zijn ogen bleven gericht op de rook die nu in steeds grotere hoeveelheden uit de cirkel opsteeg.

Op de een of andere manier verdween het voordat het het plafond bereikte, zodat de kamer zelf niet gevuld was met rook.

Maar binnen de cirkel werd het steeds dichter en dikker.

Tot er uiteindelijk een figuur uit de wolk tevoorschijn kwam, die achter haar snel ineenkromp tot niets.

Het ding was ongetwijfeld een demon.

Het was over het algemeen menselijk van vorm, meer nog dan velen waarvan ik had gehoord.

Zijn huid was donkerrood, bijna glanzend, en hij had een lange zwarte staart en vleermuisvormige vleugels die uit zijn schouders staken.

Hij zag dat de onderpoten geschubd waren en eindigden in klauwen zoals die van een vogel.

Het gezicht van de demon was wreed en bebaard, met lang zwart haar op zijn schouders en grote gebogen hoorns als die van een ram.

Hij had felgele ogen, met donkere spleten als pupillen, zoals die van een kat, maar die leken haar niet beter te kunnen zien dan die van de vrouw die hem had opgeroepen.

Het monster was schaars gekleed, alleen een doek op zijn lichaam met een kort schort dat aan een riem van stukjes ijzer hing, en twee donkere leren riemen die in een X over zijn borst en rug liepen.

Deze riemen leken op iets waar wapens of gereedschap in konden zitten, maar op dit moment waren ze leeg.

De demon keek om zich heen, maar leek al snel zijn interesse in de kamer te verliezen.

Zijn gele ogen richtten zich op de vrouw die voor hem knielde.

"Waarom heb je mij opgeroepen?" gromde hij met een diepe baritonstem.

Terwijl hij sprak, ontsnapten stoomwolken hem en hij spande zijn klauwende handen, alsof hij op enig geweld anticipeerde.

Ontwapend en grotendeels hulpeloos probeerde Cassandra naar een deur te lopen die ze aan de andere kant van de kelderkamer kon zien, maar haar voeten leken vastgeroest en konden geen centimeter bewegen.

"Wie moet ik doden of in stukken scheuren?" vervolgde de demon, "op wie moet ik een vloek uitspreken? Of wil je mij vragen stellen om je eigen macht te vergroten? Geef mij het bevel, heks, en ik zal doen wat je maar wilt."

Cassandra dacht dat hij niet erg blij leek bij het vooruitzicht; Hij had er beslist een hekel aan om een slaaf te zijn van de verlangens van een mens.

'Dat kan me allemaal niets schelen,' antwoordde de vrouw, 'tenminste nu niet. Ik heb je voor een ander doel opgeroepen.'

"Noem het dan!" snauwde het beest terwijl zijn ogen gloeiden.

'Moet je hier blijven en mij gehoorzamen tot het ochtendgloren?' Het wezen knikte. "Goed. Gebruik die tijd dan om me te neuken, om me keer op keer te laten klaarkomen. Ik wil dat je me de beste, langste neukbeurt van mijn leven geeft."

De uitdrukking van de demon veranderde terwijl hij sprak.

Hij leek niet langer boos, maar eerder bezorgd, breed glimlachend en scherpe, puntige tanden laten zien.

Hij liet een woordeloos rommelend geluid achter in zijn keel komen en liep door de cirkel naar de knielende heks.

'Dat kan ik,' zei hij, terwijl de vrouw naar haar riem greep en de riemen losmaakte die haar schaarse kleding bij elkaar hielden.

De paar stukjes leer vielen op de grond, waardoor de demon volledig naakt achterbleef.

Zijn stijve penis wees naar het gezicht van de vrouw.

Zijn ballen, zag Cassandra , waren groot en harig, en zijn penis was meer dan twintig centimeter lang.

Die penis was geribbeld, met gegroefde bultjes over de hele lengte, geen voorhuid, met een donkerpaarse kop die al opgezwollen en volgepropt was, en iets spitser dan die van een mens.

De vrouw sloeg haar hand eromheen, streelde hem op en neer en genoot schijnbaar van het gevoel van de ribbels.

Toen opende ze haar mond en slikte hem door, zo zuigend als ze kon.

Ze hief een hand op om de ballen van het wezen te omhelzen en streelde en krabde ze met haar nagels.

De demon leunde met zijn hoofd achterover en slaakte een lange zucht, waardoor nog meer stoomranken de lucht in de kelder instegen.

Cassandra merkte dat ze zich nu niet eens meer kon omdraaien, en dat haar ogen niet meer konden sluiten of stoppen met kijken.

Ze kon niets anders doen dan toekijken hoe de losbandige daad zich voor haar afspeelde.

Het had allemaal geen zin.

Heeft uw recente bezoek aan Lady Gedren, en vervolgens aan het huis waar de luide vrouw seks had, op enigerlei wijze uw onderbewuste gedachten beïnvloed?

Ze geloofde het niet: haar instinct vertelde haar dat hier iets anders aan de hand was, en ze was gefrustreerd omdat ze niet wist wat het was.

Maar voorlopig kon hij alleen maar toekijken.

De mysterieuze vrouw liet de pik van de demon los en stond op.

Het wezen was ongeveer zes centimeter groter dan zij.

Hij keek haar aan, blijkbaar vond hij het leuk wat hij zag, en pakte toen een handvol van haar dunne jurkje.

Hij rukte het met één plotselinge beweging van zijn lichaam en gooide het achteloos opzij.

De heks draaide zich om en ging met haar gezicht naar boven op de grote matras liggen, met haar benen gespreid.

"Lik mij!" Ze zei: "Ik beveel je."

Blijkbaar had de demon geen enkel bevel nodig om de cirkel te verlaten, terwijl hij door de kamer liep, kennelijk niet langer beperkt, en naast zijn geliefde knielde.

Hij opende zijn mond, stak een lange, gevorkte tong uit en likte daarmee het sleutelbeen van de vrouw, over haar kin en tot aan haar neus.

Terwijl hij dat deed, voelde Cassandra een tinteling op haar eigen gezicht en daar een plotseling gevoel van warmte.

Het was mild en leek in niets op wat de vrouw zou moeten voelen, maar toch voelde ze zich er ongemakkelijk bij.

Het leek erop dat de droom nog vreemder werd.

De demon trok zijn aandacht omlaag, kwijlde met zijn lange tong over de borst en borsten van de vrouw, bewoog de gevorkte punt tegen haar tepels en liet haar kreunen van plezier.

Het gevoel in Cassandra's lichaam werd ook lager en ze merkte dat ze kronkelde in een poging het te vermijden.

Het was allemaal tevergeefs en zijn blote voeten bleven stevig op de grond staan.

De tong van de demon baande zich een weg over de buik van de heks, terwijl er kleine stoomwolkjes opstegen.

Cassandra veronderstelde dat het niet zo heet kon zijn als ze eruitzagen, ook al moest het beslist warmer zijn geweest dan welke menselijke adem dan ook.

Eindelijk bereikte de demon zijn prijs en bewoog met zijn tong de lippen van het poesje van de vreemde vrouw, hoewel hij zich nog steeds aan haar tepels vastklampte, waardoor ze kronkelde en haar heupen draaide.

De vrouw, wie ze ook was, was duidelijk opgewonden, haar gezicht was rood, ze beet afwisselend op haar onderlip en hijgde, terwijl ze af en toe een gedempte kreun gaf.

"Lik, lik..." zei ze, en het wezen gehoorzaamde.

De heks kronkelde tegen de lakens terwijl de demon zijn lange, gladde tong in elke spleet van haar kutje en kont stak.

Hij hijgde en kreunde nu luid, toen een hand naar de kop van het monster reikte en de zware hoorns voelde.

De hitte verspreidde zich tussen Cassandra's heupen en de tintelingen werden seksueel op een manier waarvan ze wist dat die niet zou gebeuren.

[Elders, in de wakende wereld, lag Cassandra te woelen en te draaien in haar bed, terwijl ze met de lakens wapperde, terwijl het zweet op haar voorhoofd begon te verschijnen.]

De heks schreeuwde toen haar eerste orgasme haar trof, waarbij haar heupen tegen het hoofd van de demon bonkten.

De seksuele uitbarsting die Cassandra trof was minder intens, ver verwijderd van een climax, maar genoeg om haar nat te laten voelen tussen haar benen.

Ze vervloekte hem in stilte, in de veronderstelling dat hij nog niet klaar was.

De demon bevrijdde zijn geliefde en ging op zijn hurken liggen.

"Je tong is best goed," zei de heks, "maar hoe zit het met je pik?"

De demon glimlachte en tilde de vrouw bij de heupen op, zodat ze op zijn armen en schouders rustte, haar benen tegen zijn borst.

"Neuk me," beval hij, "neuk me nu."

Met een krachtige duw was de demon binnen, en beide geliefden schreeuwden plotseling.

De demon begon krachtig te pompen, zijn billen pompten en zijn zwarte staart sloeg ritmisch tegen de matras.

De vrouw sloeg haar benen om zijn rug, duwde de gezwollen, geribbelde pik dieper in haar kutje en schreeuwde keer op keer.

Ze pakte een van haar tepels vast, kneep erin, en de demon begreep de hint en gebruikte zijn eigen klauwhanden om haar borsten te masseren terwijl hij haar bleef neuken.

Het tintelende gevoel verspreidde zich nu en er was niets dat Cassandra kon doen om het tegen te houden.

Het was niet overweldigend, het kon niets doen dat ook maar in de buurt kwam van wat de harde, demonische lul kennelijk met de mysterieuze vrouw deed, maar er was geen manier om het te negeren.

Ondanks zijn afkomst had hij geen neiging tot demonen, dus een externe kracht moet zeker verantwoordelijk zijn voor wat er met hem gebeurde.

Maar wat en hoe?

[In de wakkere wereld kronkelde Cassandra onder de dekens en schopte ze terwijl ze over haar nachtjapon wreef, terwijl lichte kreunen van angst over haar lippen gingen. Maar er was niemand in de buurt die ze kon horen.]

Cassandra realiseerde zich met verbazing dat haar leren kledingstukken in de droom het pad van haar laarzen en mantel hadden gevolgd.

Ze was nu gekleed in haar nachtjapon, een slipje met korte mouwen dat tot net boven haar knieën reikte.

De hete lucht in de kamer, verwarmd door de hartstocht en hitte van het helse wezen, streek nu langs zijn blote kuiten en armen.

De heks schreeuwde in haar tweede climax van de avond, maar de demon was nog niet klaar en bleef pompen.

Zijn stoten werden nu sneller en zijn ademhaling moeilijker.

Cassandra kon zien hoe zijn ogen begonnen te schijnen, stralend met een geel innerlijk licht, terwijl de vreugde zich over zijn gezicht verspreidde.

"Gooi het er uit!" beval de vrouw plotseling.

Met een boos gegrom deed de demon dat, niet in staat het bevel van zijn geliefde te weerstaan, wat volkomen het tegenovergestelde moet zijn geweest van wat hij wilde doen.

De vrouw, die nog steeds op zijn heupen rustte, strekte haar hand uit om in de kop van zijn lid te knijpen, wreef en speelde ermee.

De demon brulde toen hij kwam, zijn ogen gloeiden helder voordat ze vervaagden tot hun gebruikelijke kleur.

De stroom sperma schoot naar buiten en bespoot de borsten van zijn partner, één keer, en daarna nog een keer.

Zelfs daarna druppelden er nog steeds druppels witte vloeistof uit de punt, die op zijn buik spatten; Hij had zeker meer geproduceerd dan welke menselijke man dan ook, en hij besproeide haar ook meer.

Cassandra was in ieder geval blij dat het voorbij was en dat het gevoel al uit haar lichaam verdween.

Natuurlijk masturbeerde ze soms, en seksuele gevoelens waren haar niet vreemd.

Maar dit kwam van buitenaf... niet bepaald een overtreding, maar toch een ongewenste inbreuk.

Ondertussen keek de demon naar de vrouw, terwijl de druppels en spatten van zijn sperma nog steeds haar hete, bezwete lichaam sierden.

"Denk je dat ik onwetend ben?" vroeg de vrouw. 'Het is veel waarschijnlijker dat een demonische vlucht eindigt in een zwangerschap dan een vlucht met een menselijke partner. En ik ben niet van plan een halve demon op deze wereld te brengen.'

De vrouw had dus een beter gezond verstand dan haar eigen overgrootmoeder, dacht Cassandra wrang.

Maar de droom vertoonde helaas geen tekenen van einde.

De vrouw maakte zich los uit de omhelzing van de demon en strekte haar hand uit om zijn pik vast te pakken, die slechts iets minder rechtop stond dan voorheen.

"Natuurlijk kan ik dit nog steeds doen," zei hij, terwijl hij er nog een keer op zoog en de laatste druppels sperma van de punt likte. "Mmm... licht pikant. Mia, kijk eens of je het lekker vindt?" voegde ze eraan toe, terwijl ze hem losliet en haar met sperma bespatte borsten aan zijn wachtende tong presenteerde.

Toen hij klaar was met het likken van al het sperma uit haar, rolde ze op haar voorkant, stak haar heupen in de lucht en spreidde haar schaamlippen.

'Ik ben er weer klaar voor, en ik weet zeker dat jij dat ook bent,' zei ze tegen hem.

De vrouw kreunde toen de demon weer bij haar binnendrong en haar borsten tegen de zijden lakens wreef.

Cassandra had nog steeds geen idee wie hij was, of waarom ze naar deze scène keek.

Er moest zeker ergens een punt zijn, maar tot nu toe was er geen indicatie van wat het zou kunnen zijn.

De demon liet zijn hand over de rug van de heks glijden en krabde haar lichtjes met zijn lange nagels.

Hij bewoog zijn hand langzaam naar haar hoofd en drukte haar mond tegen een kussen, hoewel ze daardoor wel kon ademen.

Gedempte kreten van genot kwamen uit het kussen terwijl de demon zachtjes in haar nek kneep en langzaam zijn geribbelde pik in en uit haar kutje liet glijden.

[Cassandra had nu bijna de lakens van haar bed geschopt, haar hoofd heen en weer zwaaiend in haar slaap, haar nachtjapon plakte aan haar bezwete lichaam.]

De ogen van de demon begonnen te gloeien, maar de vrouw kon ze vanuit haar positie niet zien.

Het maakte niet uit, want de demon gromde: 'Ik ben er bijna...' en blies nog een wolkje stoom uit zijn mond.

De ogen van de vrouw werden groot en ze worstelde en probeerde iets te schreeuwen.

Maar zijn mond lag nog steeds stevig tegen het kussen gedrukt en er kwamen alleen maar gedempte geluiden uit.

De demon glimlachte breder dan ooit tevoren terwijl zijn stoten steeds krachtiger werden.

"Hier komt het..." gromde het wezen voordat hij een triomfantelijke kreet slaakte en het hoofd van de heks losliet toen hij in haar kutje kwam.

Misschien had de tijdelijke paniek haar opwinding vergroot, omdat de heks kennelijk op hetzelfde moment een hoogtepunt bereikte als haar helse metgezel.

De demon bleef haar vasthouden en leek lading na lading in haar te schieten, terwijl hun beide lichamen trilden van de kracht van hun hartstocht.

Uiteindelijk trok de demon zich terug.

De heupen van de vrouw zaten vast in zijn kleverige sperma terwijl ze zich omdraaide om zijn boosaardige, grijnzende gezicht aan te kijken.

'Jij klootzak...' wist hij uit te brengen, vlak voordat de demon voor de laatste keer kwam en hem deze keer recht in zijn gezicht schoot.

De demon begon te lachen, met een diep, ernstig gerommel.

'Dacht je dat je mij voor de gek kon houden?' laten . 'Je zult het leven schenken aan een halve demon en je zult de moeder zijn van een reeks van hen. En op een dag zal iemand een grote daad verrichten om de krachten van de hel te bevorderen.'

Het besef raakte Cassandra met volle kracht.

Nu wist hij wat het was... maar niet waarom hem dit was geleerd, of hoe.

Maar ze wist al wie de vrouw was, en het idee liet haar koud.

'Misschien moet ik nu gaan,' zei de demon.

De vrouw veegde de druppels van haar wangen en zoog afwezig op de plakkerige vinger.

Zijn woede leek al verdwenen.

'Nee,' zei ze, met een halve glimlach om haar lippen, 'jij bent hier tot het ochtendgloren, en wat gedaan is, is gedaan. Ik wil ook profiteren van de waarde van mijn aanroep zolang ik tijd heb. Je hebt alleen maar liet me drie keer klaarkomen." ...Ik weet zeker dat je me nog vaker kunt laten klaarkomen."

Gelukkig vervaagde het tafereel toen.

De kamer veranderde in een veel kleinere.

Daarin stond een wiegje, met een baby.

Een baby met hoorns en een staart, en met kleine vleermuisvleugels.

In een andere kamer werd een magere jongeman aan een bed vastgeketend en droeg niets anders dan haveloze vodden.

Het duurde niet lang voordat ik hem herkende als de volwassen baby.

Hij zag er niet blij uit.

Opnieuw in dezelfde kamer drong de man van vroeger zichzelf aan een vrouw op en neukte haar dringend van achteren.

Uit de korte blik kon je niet opmaken hoe gewillig de vrouw was.

Ze leek tenminste niet te huilen.

Nog een kamer en nog een baby, deze minder demonisch dan zijn vader, hoewel zijn ogen bloedrood waren en zijn hoorns nog zichtbaar.

Van onder de vloer klonk het geluid van een gigantische hartslag.

Er was daar iets, besefte hij... iets onder de stad.

Iets dat wacht, heel geduldig.

En dan iemand die hij herkende, iemand die hij had ontmoet en die hij hoopt te zien.

Het was de tweede baby die werd geboren; zijn eigen vader, zoals hij zich hem herinnerde, sloeg met zijn vuist op een tafel en schreeuwde woedend over het een of ander.

Ergens in de hoek zat een vijfjarig meisje met haar armen om haar knieën verdrietig naar de grond te staren.

Een meisje met kastanjebruine ogen en kleine hoorns.

En toen werd ze wakker en zat rechtop in bed.

Ze wist dat ze wilden dat ze iets deed, en om die reden hadden ze haar aan haar erfgoed herinnerd.

Maar wat ze wilden, of zelfs wat hij moest doen, wist hij nog steeds niet.

Maar ik had het gevoel dat ik er snel achter zou komen.

HET VERHAAL VERVOLG: CONAN DE BARBAR VIERDE DEEL

Milton Keynes UK
Ingram Content Group UK Ltd.
UKHW011937010124
435297UK00001B/132